0.1 1942年11月28日にボストンで起きたココナッツグローブ大火では、満員のナイトクラブで492人が死亡した。そのときの遺族や生存者に対する心理療法の必要から、危機療法が生まれた。

Alueella pysäköinti sallittu
vain alueen yritysten
asiakkaille ja työntekijöille.
PITKÄAIKAIKAISPYSÄKÖINTI
(yli 24h)
sallittu vain tontinhaltijan
erityisluvalla
Ajokone Oy, Herkkuravintola Takkatupa, Savarin Katsastus Oy

2.1 フィンランド語の道路標識。フィンランド人以外には理解できないこの言語が、フィンランドのナショナル・アイデンティティのひとつになっている。

2.2 フィンランドの冬戦争では、20代の青年だけではなく、50代の男女や10代の少年も徴兵された。

2.3 1940年2月、ソ連の空爆を受ける当時フィンランド第二の都市であったヴィープリ。

2.4 上の写真と同じ場所の数十年後。現在はロシアの都市となっている。

2.5 道路を通って進軍するソ連軍部隊に対抗するために、雪のなかで目立たない白い戦闘服に身を包み、スキーを履いて、森のなかを移動するフィンランド軍兵士たち。

2.6 フィンランドのスキー部隊の奇襲を受け、破壊されたソ連戦車部隊。

2.7 スウェーデンに集団疎開するフィンランドの子どもたち。史上最大規模の児童の疎開だった。

3.1 将軍は明治維新以前の日本の実質的支配者だった。写真は徳川慶喜。

3.2 1867 年に即位し、明治時代の選択的変化を統括した明治天皇。

3.3 1871 年から 73 年にかけて、欧米の実情を学ぶためにアメリカとヨーロッパを巡った岩倉使節団。中央の岩倉具視以外はすでに洋装である。

3.4 甲冑を着けた武士たち。

3.5 明治時代のスポーツチーム。すでに洋装である。

3.6 明治時代にアメリカを訪れた人々。すでに洋装である。

3.7 1904 年、日露戦争初期に砲撃を受けて旅順港で着底したロシアの戦艦〈ペレスヴェート〉。当時のステレオ写真。

3.8 1904 年の仁川沖海戦で戦う、日本海軍とロシア海軍。

3.9 1914年、青島で日本軍の捕虜となったドイツ兵たち。

4.1 民主的な選挙でチリの大統領になったサルバドール・アジェンデ。1973年にクーデターが勃発した際、みずから命を絶った。

4.2 1962年、キューバに建設中のソ連の核ミサイル基地。アジェンデ大統領はマルクス主義政権樹立という目標を掲げていたが、アメリカ政府、チリの右派、中道派、軍部が、それを何としても阻止しようとした理由のひとつである。

4.3 1973年9月11日、チリの首都サンティアゴでクーデターを起こした兵士と戦車。

4.4 クーデター後、軍事政権トップの座についたアウグスト・ピノチェト将軍（サングラス姿で座っている）。

4.5 チリの有名な左派系のフォルクローレ・シンガー、ビクトル・ハラ。1973 年のクーデター後、軍事政権により殺害されたが、遺体には 44 発の弾痕が残され、両手の指が切り落とされていた。

4.6 1988年、ピノチェトの大統領任期延長に反対する「ノー！」運動のポスター。国民投票で延長は否決された。

4.7 2000年にチリに帰国したピノチェト。健康上の理由で車椅子が必要とされていたが、飛行機からおりると立ち上がって、歓迎する将軍らとあいさつを交わした。

5.1 インドネシアの初代大統領スカルノ。

5.3 1965年のクーデター失敗の後、インドネシアの大統領を7期にわたって務めることになるスハルト。

5.2 中国、エジプトの指導者と歓談するスカルノ（中央）。第三世界の反植民地主義的政治をめざしていた。

5.4 クーデター失敗の後、共産主義者と目された人を囲む兵士たち。

5.5 クーデターで殺害された７人の将軍を追悼する巨大なパンチャシラ記念碑。

5.6 現在のインドネシアの首都ジャカルタの高層ビル群。

5.7 現在のインドネシアの首都ジャカルタのスラム街。

危機と人類 ㊤

ジャレド・ダイアモンド
小川敏子　川上純子＝訳

日経ビジネス人文庫

両親のルイス・ダイアモンドとフローラ・ダイアモンドの思い出と
妻のマリー・コーエン、息子のマックスとジョシュアの未来に

世界的危機としてのコロナ禍——日本語版文庫に寄せて

危機に関する本書がアメリカで発刊されたのは二〇一九年五月、日本語版が出版されたのは二〇一九年一〇月のことだ。この刊行タイミングは非常にまずかった一方、絶妙でもあった。非常にまずかったのは、新型コロナウイルスが世界を危機に陥れることを、私も含めてだれも予見していなかったからだ。絶妙だったのは、執筆時には姿を見せていなかった危機が現れたことで、本書で提示する危機理解のための枠組みが、いかに役立つかを検証できるからだ。この序文では、危機の枠組みがコロナ禍にどう当てはまるのか、新しく出てきた問題と古くからあった問題は何か、長い目でみればこの恐ろしい悲劇が人類に希望をもたらす可能性があるのはなぜかをみていこう。

私が第1章で紹介する危機の枠組みがコロナ禍にあまりにぴったり当てはまるため、私に予言能力があると思う人がいるかもしれない（もちろん、その能力はない）。妻マリーが私に教えてくれた個人的危機の帰結にかかわる一二の要因のうち、いくつがコロナ禍に当てはまるだろうか。まずは、成功する危機解決の最初の要因である「危機に陥っているという認識」（要因1）、危機を他人のせいにせず解決の責任を受容すること（要因2）、公正な自己評価（要因7）についてみていこう。私の国のドナルド・トランプ大統領は、拒絶、否認、責任転嫁、不誠実、無策の最右翼である。結果として、アメリカは現在、世界一の新型コロナウイルス感染者数となった。無知と無分別でトランプにつづくのは、ブラジルのジャイル・ボルソナロ大統領とイギリスのボリス・ジョンソン首相である（ジョンソン首相は新型コロナウイルスに感染したことで、少しはその無知と無分別に気づいたようだ）。アメリカとブラジルとイギリスは、ベトナムやニュージーランドなど、現状を認識して責任を受容し、事実を誠実に捉え、その結果、ほぼ全国民を守った国とは対照的である。

周囲からの支援（要因4）については、良い例も散見されるものの、もっと多く事例があってもいいのではないだろうか。中国はアメリカ向けにマスクを製造し輸出することで助けてくれた。私の妻はマスクを何百枚も購入し、ロサンゼルスの救急救命室で働く医療関係者を守るために寄付をした。過去の危機体験（要因8）については、フィンランドに特筆すべき事例がある。第2章で述べるとおりフィンランド人は過去の戦争体験から学んで、あらゆる災厄に備えている。もちろんマスクも備蓄していた（穀物、燃料、薬品、化学物質、あらゆる生活必需品も）。忍耐力（要因9）についてはどうだろう。最初の解決策が失敗したときに他の方法を模索する意欲は、いまスウェーデンとオーストラリアで示されている。その他、第1章で示した要因を日本や韓国など身近な国についてご自分で当てはめてみてほしい。気味悪いほど興味深い結果が出るだろう。

もちろんコロナ禍は新しい出来事ではない。新型コロナウイルスは新しいが、コロナ禍自体は、疫病によって引き起こされてきた数々の危機の最新版に過ぎない。黒死病として恐れられた腺ペストは、一四世紀にユーラシア大陸全体で大流行した。史上最大の帝国（モンゴル帝国）を弱体化させ、ヨーロッパでは人口の三分の一が亡くなった。麻疹（はしか）や天然痘といったヨーロッパの疫病が大航海時代の探検家たちによって新世界に持ち込まれてしまった際には、もっとひどいことが起きた。アメリカ先住民のほとんどがこれらの伝染病で亡くなり、ヨーロッパ人による新世界の征服を後押しする結果となった。ヨーロッパ人は過去にこれらの病原菌に曝露した経験があり遺伝免疫や獲得免疫があったが、アメリカ先住民は初めて感染する病原菌だったために免疫がなかった。

その他の悪名高い疫病に比べて、新型コロナウイルスは比較的「穏やか」である。感染者の致死率は「たったの」二％だ。天然痘や麻疹は致死率三〇％ほどであり、エボラ出血熱やマールブルグ熱では致死率七〇％、エイズやクロイツフェルト・ヤコブ病は致死率一〇〇％である。ではなぜ、この「穏やか」な病が、これほど大勢の死者を出し、今日これほど恐れられているのだろうか？

理由は三つある。ひとつは、現在の世界人口が七七億と過去最多であることだ。七七億人の「たった」二％だとしても、新型コロナウイルスによって一億五四〇〇万人が死亡する可能性がある。ふたつめに、新型コロナウイルスは新種であり、過去に曝露した経験を持つ人がいないことだ。そのためだれも免疫を持っておらず、あらゆる人に感染リスクがある。三つめに、ジェット機が新型コロナウイルスをこれまでの疫病より早く広めたことだ。黒死病が流行した七〇〇年前には移動手段が徒歩か馬しかなかったし、一九一八～一九年に大流行したスペイン風邪（新種のインフルエンザ）のときに感染を拡大させた蒸気船よりもジェット機のほうが速い。

一、二年のあいだに、新型コロナウイルスはワクチンによってコントロール可能になるだろう。それまでのあいだ、ウイルスは私たちの社会的行動や商業活動、貿易、経済活動に対して打撃を与える。このことに対して、世界の注目が集中している。これが奇異なのは、コロナ禍は人類の存続と文明に対する脅威ではないからだ。商業活動と貿易は再開されるだろう。たとえコロナ禍によって一億五四〇〇万人が亡くなったとしても、地球上には七五億四六〇〇万人が生き残る。ヒトという種が生き延びることを十分すぎるくらいに保障する数である。人類文明に対する真の脅威はコロナ禍ではなく、気候変動、資源枯渇、地球規模の不平等だ（第11章が、世界を待ち受けるこれらの脅威についてより詳しい）。これらの脅威は、私たちの将来を担保に取って、現在進行形で私たちの生活水準にひどい打撃を与えている。ではなぜコロナ禍は、これらの本当に深刻な脅威よりずっと多くの注目を集めるのだろうか。

この問いに対する答えは明白だ。新型コロナウイルスの犠牲者が、感染が原因となって短期間で亡くなるからだ。あなたが新型コロナウイルスに感染して亡くなれば、このウイルスのせいで亡くなったのは明らかだ。そして感染してから亡くなるまでにかかるのは数週間内、場合によっては数日内ということもある。対照的に、気候変動や資源枯渇、不平等は、私たちを死にいたらしめるまで時間がかかるし、死因としても曖昧なままになる。たとえば気候変動は、旱魃《かんばつ》や気温上昇、大気汚染、農作物の生産量の減少、熱帯病の温帯地方への蔓延、沿岸部の低地における洪水や高潮、津波から沿岸部を守るサンゴ礁の死などによって、人間を殺す。あなたがだんだんと栄養失調になって亡くなった、あるいはデング熱（熱帯・亜熱帯地方の感染症）に温帯の日本で感染した、あるいは津波で亡くなったとしたら、あなたの遺族はこうは言わないだろう。「故人は六日前に気候変動にかかりまして……」。遺族は、気候変動関連の言葉を一言も口にしないだろう。しかし気候変動、資源枯渇、不平等は、私たち人類が直面している大いなる危機なのである――コロナ禍ではない。

しかしながら、これらの大いなる危機ではなく、コロナ禍が私たちの注目と関心を集めている。人類史上初めて、地球規模の解決法が求められる地球規模の危機に直面していることを、世界中のだれもがはっきりと理解しているからだ。日本を含め世界のどの国も、単独ではコロナ禍を解決できない。日本が国内で感染者をゼロにしたとしても、モンゴルやソマリアや世界中のどこかでウイルスが生きつづけたとしたら、また日本国内で感染者が出るのは時間の問題だ。全世界の国々が安全にならなければ、新型コロナウイルスに対して安全な国は存在し得ない。

ではウイルスに対して、世界はどのように対応するだろうか。その答えはいまだに不透明だ。私が考える最悪のシナリオはこうだ。各国が国境封鎖だけに集中し、ワクチンを最初に開発した国が自己中心的にそれを抱え込む。愚かなことに、人々は新型コロナウイルスがワクチンのない国々からふたたびやってくることを忘れる。

最良のシナリオはこうだ。人々が、コロナ禍が地球規模の脅威であること、ウイルスに対して全世界が安全な状況をつくる以外に道がないことに気づく。もし地球規模のウイルスの脅威に人々が協力して打ち勝つことができたら、そこから得た教訓を一般化し、気候変動などの地球規模の脅威に協力して対応できるようになるかもしれない（そして資源枯渇や不平等に対しても）。日本国内で新型コロナウイルスを撲滅してもコロナ禍が解決しないのと同様、日本上空の大気中の二酸化炭素濃度を下げても気候変動から日本を守ることはできない。大気中の二酸化炭素は、新型コロナウイルスのように全世界に素早く広がるからだ。

これは非情な現実だ。だが日本は世界に対し、新型コロナウイルスだけではなく、世界中の気候変動や資源枯渇や不平等を解決する努力をすることによって、自ら範を示すことができる。そしてこれは、世界にとっても、日本にとっても良いことだ。なぜなら日本もどの国も、安全と繁栄を享受するためには他に道はないからだ。この現状認識をコロナ禍が私たちにもたらしてくれたとしたら、このウイルスがもたらした悲劇は、人類が世界を救う一助となったと言えるだろう。

ジャレド・ダイアモンド

二〇二〇年八月

日本語版への序文

自分の書いた本が外国語に翻訳されるのは、非常にうれしいものだ。私も、著作がフランス語、中国語、モンゴル語、リトアニア語など数十カ国語に訳されていることを誇りに思っている。だが、私には、これまでの作品やこの新作『危機と人類』が日本語に訳されることを、とりわけうれしく思う特別の理由がある。

理由のひとつは、日本が非常に興味深く、重要な国だからだ。他の多くの非日本人と同様、私は長年にわたって日本について興味関心を抱いてきた。これまでの作品でも、かなりの紙幅を割いて日本について論じている。たとえば、『文明崩壊』では、江戸時代の日本が持続可能な森林管理を実現し、天然資源管理の面で、現代日本を含むすべての現代社会のお手本となっていたことを紹介した。

さらに加えて、私には個人的理由もある。私の妻マリーに日本人と結婚した親族がいて、私と彼女は日本人のいとこや甥や姪ととても良い関係を築いている。訪日を楽しみにする理由のひとつは、日本人の親戚と過ごす時間だ。日本のことをよりよく理解する手助けもしてくれる。カリフォルニア大学ロサンゼルス校（ＵＣＬＡ）の地理学教授として教えるクラスには日本人学生もいて、そのうちの数人は個人的にもよく知っている。彼らも私のために数百時間を割いて、日本という驚くべき社会と国に対する私の理解を助けてくれた。

個人的危機の観点から、国家社会の危機をみていくという私の今回の著作は、世界七カ国を事例として取り上げ、基本的にはそれぞれに一章ずつを割いている。だが、そのなかで二カ国だけは二章をあてた。その二カ国とは母国アメリカ（私がもっともよく知る国であり、巨大な危機に現在直面している国）と、日本だ。

世界の歴史を調査した本で、一一章のうち二章を日本に割り当てるのは、もしかしたら不釣り合いにみえるかもしれない。だが、私は日本に注目し二章を割くのは、けっしておかしなことではないと考えている。

第一に、明治時代の日本は、選択的変化で成功した、ずばぬけて優れた事例である。国家に対して、あるいは個人に対して起こる危機であったとしても、選択的に変化を選ぶということが難しいのだ。国家や個人にとってうまく機能していることを選び出して保持し、機能不全に陥っていることを変化させなければならない。

明治日本のように上手に選択的変化をおこなった社会は、近現代史で他に例をみない。明治日本は、政府を変えただけではなかった。司法制度、教育制度、階級制度、国内旅行規制、経済制度など、社会のありとあらゆる側面を変えた。それと同時に、日本は漢字、カタカナ、ひらがなを使いつづけ、天皇制を堅持するなど、先進工業諸国とは際立って違うその他数多くの特徴を保持するという決定もした。それらの特徴は、現代日本にも残っている。

明治日本は、選択的変化において重要だと私が考える要件をいくつも満たしている。危機の存在を認め、危機を解決する責任を負い、他国や他の人たちを改善の手本として使い、公正な自国評価を下し、強みを保持し、辛抱強く対処し、強いナショナル・アイデンティティを持ち、基本的価値観については譲らない、といった点である。世界各国は、明治日本の成功から多くを学ぶことができるだろう。

私が日本に注目する第二の理由は、現代日本で起きている問題が、明治日本の成功と肩を並べるものだということだ。アメリカを含む他の国々と同様、日本は大きな問題を抱え、決断を迫られている。問題のうちのいくつかは、日本でも認識され、大いに議論されている。だが残りについては、なぜか日本では見過ごされ、議論もされていない。あるいは問題の存在すら否定されている。

現代日本は、かつて難問を成功裏に解決した度胸や明快な思考を発揮して、さらに強国になれるだろうか？　これと同じ疑問は、母国アメリカにも適用できる。私の子どもやあなたの子どもは、この疑問の答えが現実化した世界で生きていくことになる。

私はこのような理由から、日本語版の刊行をとてもうれしく思っている。マリーと私はこれからも日本訪問や、日本の親族、友人、学生たちと過ごす時間を楽しみにしている。

ジャレド・ダイアモンド

危機と人類㊤　目次

第2部　国家——明らかになった危機　87

第2章　フィンランドの対ソ戦争　89

下巻　目次

プロローグ

ココナッツグローブ大火が残したもの

ふたつの人生経験

たいていの人は、一生のうち何回か、個人的危機や大きな変化を経験する。それを乗り越えるために自分を変えようと試みるが、奏功する場合もしない場合もある。同じように国家も危機に見舞われることがあり、それを国家的変革によって乗り越えようとするが、こちらもやはり成否が分かれる。個人的危機の解決法については、医療関係者や心理療法士による膨大な研究や事例の記録が蓄積されている。そこから得られた結論を活用して、国家的危機の解決法を解明できないだろうか。

個人的危機と国家的危機を説明するために、まず私の人生経験をふたつ記そうと思う。人間の最初期記憶はだいたい四歳頃といわれており、それ以前の記憶は不明瞭なことが多い。この一般化された説明は私の場合にもあてはまる。いちばん古い記憶が、五歳の誕生日の直後にボストンで起きた「ココナッツグローブ大火」なのだ。幸いなことに私が火事に巻き込まれたわけではないのだが、私はその恐ろしさを医師だった父から聞くことで間接的に経験したのである。

一九四二年一一月二八日、ボストンにあるココナッツグローブというナイトクラブで火災が発生し、火はまたたくまに客でごった返す店内に広がった。出入口は一カ所のみで、しかも逃げようと殺到する人々で回転ドアが詰まり、開かなくなってしまった。窒息、煙や有毒ガスの吸入、圧死、火傷《やけど》によって、死者四九二人、負傷者も数百人にのぼった（口絵0・1）。ボストン市内の医療関係者は、火事の直接の死者や負傷者ばかりでなく、心の傷を訴える患者の多さにも圧倒された。自分の妻や夫、子ども、兄弟姉妹が恐ろしい亡くなりかたをしたことに取り乱す被害者家族と、何百人もが命を落としたのに自分は助かったという罪悪感がトラウマとなった生存者である。午後一〇時一五分まで、彼らの人生は平常だった。感謝祭の週末を祝う人たち、アメリカンフットボールの試合結果が気になる人たち、戦時中に与えられた休暇を楽しむ兵士たち。だが午後一一時には、大半の犠牲者はすでに亡くなっていた。そして被害者家族と生存者は、人生の危機に直面した。彼らの人生は、予想されていた軌道から外れてしまった。大切な人が亡くなったのに自分は生きているということに、良心の呵責を感じた。被害者家族は、アイデンティティの中心を占めていた存在を失ってしまった。火事を生き延びた人々だけでなく、現場から離れたところに住むボストン市民（五歳だった私を含め）にとって、この火災は世界の公平さに対する信念を揺るがす出来事だった。ひどい仕打ちを受けたのは、不良少年でも悪者でもない、ふつうの人々だった。何の落ち度もない人々が殺されたのである。

火事を生き延びた人や被害者家族のなかには、生涯にわたりトラウマに苦しんだ人もいる。自殺した人も何人かいた。だが、大半の人々は喪失を認めることができない非常につらい数週間を経たのち、ゆっくりと悲嘆のプロセスをたどり、自分自身の存在価値を再評価し、生活を再建し、自分の世界すべてが崩壊したわけではないことに気づいていった。配偶者を亡くした人の多くが再婚した。だが、どんなに順調にみえる人であっても、彼らの人格は、大火後の新しいアイデンティティとその前からあった古いアイデンティティとが混ざり合ったモザイク状になっており、何十年も経った今も変わらない。本書では、この「モザイク」という比喩表現を用いて、異質な要素がぎこちなく混在する個人や国家を表現していく。

ココナッツグローブの例は、個人的危機としては極端だ。だがそれは、同時に災厄に見舞われた犠牲者の数が多いからだ。実際、この火事によって心理療法に転機が訪れ、第1章でみていくように新しい治療法が必要となったほどだ。多くの人は個人的悲劇をじかに体験したり、肉親や友人の体験を通じて間接的に経験したりする。たとえその悲劇の被害者が一人だけであったとしても、被害者本人や周囲の友人に与える苦痛は、ココナッツグローブの犠牲者四九二人とその周囲の人々が受けた苦痛と同じである。

ここで比較のために、ある国家的危機の例を挙げよう。私は一九五〇年代末から六〇年代はじめにかけてイギリスに住んでいた。当時、イギリスはゆっくりと進行する国家的危機に直面していたが、私もイギリス人の友人たちも十分に理解できていなかった。当時のイギリスは科学分野で世界をリードしていた。豊かな文化史を享受し、イギリス独自であることに誇りを抱き、かつて世界最強の海軍を有し、世界最大の富を謳歌し、史上最大の版図を誇っていた大英帝国時代の記憶に浸っていた。だが、残念ながら一九五〇年代に入ると、イギリス経済は行き詰まり、領土も国力も失っていった。ヨーロッパ内の役割について葛藤し、長年の階級的格差と戦い、増えつづける移民に揺れていた。危機が顕在化したのは、一九五六年から六一年にかけてだった。その時期、残存していたイギリス海軍の戦艦はすべてスクラップとなり、初めての人種暴動が起こり、アフリカにあった植民地の独立をつぎつぎに認めざるを得ない状況に陥り、スエズ危機によって、イギリスには世界的大国として単独で行動を起こす力がないという屈辱的な事実が露呈した。イギリス人の友人たちは、これらの出来事の意味を理解することにも、アメリカからの来訪者である私に説明することにも苦労していた。これらの出来事によって、イギリス国民や政治家たちのあいだでかわされていたナショナル・アイデンティティと国際社会での役割に関する議論は、仕切り直しを迫られた。

　六〇年後の今日、イギリスは新しい自己と古い自己のモザイクとなった。海外領土を削減して、多民族社会となった。福祉国家を標榜し、階級的格差を縮小するため、公立学校を通じて質の高い教育を提供した。海軍力と経済力でふたたび世界を支配することはなかった。ヨーロッパ内の役割については、いまだに葛藤していることで悪評が高い（ＥＵ離脱）。それでもなお、イギリスはＧＤＰ（国内総生産）で世界トップ６であり、君主が名目上の主権を有する議会制民主主義国家であり、科学技術の分野では世界のリーダーでありつづけ、今も通貨はユーロではなくポンドである。

　ココナッツグローブ大火とイギリスの経験は、本書のテーマの良い例だ。危機と変化への圧力は、一人ひとりと、その人が属する集団（個々人、チーム、会社、国家、全世界にいたる各階層に属する集団）に突きつけられる。危機のなかには、配偶者に見捨てられたり死別したりする場合や、国家が他国の脅威や攻撃にさらされた場合のように、外圧によって生じるものもある。逆に、内圧によって生じる危機もある。病気になった個人や、内乱が収まらない国家などだ。外圧でも内圧でも、それにうまく対応するためには、選択的変化が必要である。それは、国家も個人も同じだ。

　ここでのキーワードは「選択的」である。個人も国家も、かつてのアイデンティティを完全に捨て去り、まったく違うものへ変化するのは不可能であり、望ましいわけでもない。危機に直面した個人と国家にとって難しいのは、機能良好で変えなくてよい部分と、機能不全で変えなければならない部分との分別だ。そのためには、自身の能力と価値観を公正に評価する必要がある。どれが現時点で機能し、変化後の新環境でも機能するか――つまり現状維持でよい部分を見極める。そして、新たな状況に対応すべく、勇気をもって変えるべき部分も見極める。これを実行するには、残す部分と能力に見合った新しい解決策を編み出す必要がある。同時に、アイデンティティの基礎となる要素を選び出して、重要性を強調し、絶対に変えないという意思を表明する。

これらは危機に対する個人と国家の類似点の一部である。しかし、否定できない明白な相違点もある。

危機とは何か?

「危機」とはどのように定義されるだろうか? 手はじめに単語の語源をみてみよう。英語の「crisis」は、ギリシア語の名詞「krisis」や動詞の「krino」から来ている。これらには「分ける」「決める」「区別をする」「転換点」といった、いくつかの意味がある。これらから「crisis」とは、「正念場」のことだと考えることもできるだろう。その「瞬間」の前と後とでは、他の「大半の」瞬間の前後よりも、「はるかに」大きな違いがある。

そういう転換点のことだ。私が「瞬間」「大半の」「はるかに」という言葉にカギ括弧をつけたのは、瞬間の時間的短さや、状況変化の程度や、よくある小さな出来事や自然の成り行きで徐々に進行する変化ではなく「危機」と呼ぶにふさわしい転換点はどのくらい希少であるべきか、といった実際的な課題があるからだ。

転換点には困難がともなう。現状の対処法では困難が解決できないと判明すれば、新たな対処法を考えるよう圧力がかかる。個人や国家がより良い新たな対処法を考案したとき、危機の克服に成功したといえる。だが、第1章でみていくように、危機克服の成否は明確ではない場合が多い。部分的だったり短期間で終わった成功や、同じ問題の再発といったこともあるからだ（国際社会におけるイギリスの役割定義を「解決」したときを例にすると、イギリスは一九七三年に当時のECに加盟したが、二〇一六年には国民投票でEU離脱が決まった）。

では、実際的な課題について考えていこう。ある転換点を「危機」と呼ぶためには、どれほどの期間の短さ、重大性、希少性が必要だろうか。個人的危機は一生のうちで何回起こるのが適切か？　国家的危機はある地域の一〇〇〇年単位の歴史で何回起こるのが適切か？　これらの質問の答えは、その目的によって変わってくるため、ひとつではあり得ない。

ひとつの極端な答えは、「危機」を「非常に長い間隔をあけて起こる、きわめて稀《まれ》で劇的な大変動」と定義することだ。頻度としては、個人なら一生に二、三回、国家なら数世紀に一度程度だろう。一例を挙げよう。古代ローマ史を専門とする歴史研究者が、紀元前五〇九年頃の共和制ローマ成立以降、「危機」と呼ばれるものは三つだけあった、と主張したとする。カルタゴとのポエニ戦争のうち最初のふたつ（紀元前二六四～紀元前二四一年と紀元前二一八～紀元前二〇一年）、共和制から帝政への移行（紀元前二三年頃）、ゲルマン民族の侵攻による西ローマ帝国の滅亡（紀元四七六年頃）の三つである。もちろん、こういう主張をする古代ローマ史研究者がいたとして、紀元前五〇九年から紀元四七六年のあいだに起こったそれ以外のすべての出来事をどうでもよいと考えているわけではない。ただ、「危機」という用語を、これら三つの例外的な出来事に限定して使っているのである。

これとは対極の答えもあり得る。カリフォルニア大学ロサンゼルス校（ＵＣＬＡ）の私の同僚、デイヴィッド・リグビーと彼の二人の共同研究者、ピエール＝アレクサンドル・バランとロン・ボシュマは、アメリカの都市における「テクノロジーの危機」に関する優れた研究を発表している。その研究のなかで、彼らは便宜的に「テクノロジーの危機」を「特許出願数が継続的に減少していた期間」と定義している。「継続的」かどうかは数学的に判断されている。これらの定義にしたがって調べると、「テクノロジーの危機」は平均して一二年に一回起き、四年間持続する。つまり、平均的なアメリカの都市は一〇年のうち約三年間は「テクノロジーの危機」に陥っている。このように定義された「テクノロジーの危機」は、より実際的な問題を解明するのに役立った。それは、なぜ一部の都市が危機を回避でき、他の都市は危機を回避できないのか、である。だが、古代ローマ史研究者は、デイヴィッドらの研究対象となった出来事を刹那《せつな》的な些事だと一蹴するかもしれない。対してデイヴィッドらは、古代ローマ史研究者が、九八五年間のローマの歴史のなかで起こった三つの出来事以外すべてを無視している、と反論するだろう。

私がいいたいのは、「危機」には、頻度、継続時間、影響範囲などによって、さまざまな定義があり得るということだ。「稀にしか起きない大きな危機」か「しばしば起こる小さな危機」のどちらを定義に選んでも、有益な研究が可能だ。そういうわけで本書で取り扱う出来事の時間の尺度は、二、三〇年から一世紀のあいだとすることにした。取り上げた国はすべて、私が生まれてから現在までのあいだに、私が「大規模な危機」と考える危機を経験している。ただしそれは、その期間中にもっと多くの小規模な転換点がその国にあったことを否定するものではない。

個人的危機についても国家的危機についても、私たちはしばしば一度きりの正念場に注目してしまう。たとえば、妻が離婚訴訟を起こした日、チリ史なら一九七三年九月一一日、といった具合である。ちなみに一九七三年九月一一日は、チリでピノチェト将軍らが軍事クーデターを起こして民主政権を転覆させ、アジェンデ大統領が自殺をした日である。たしかに、予兆なしに青天の霹靂《へきれき》のごとく突然発生する危機も少数ながらある。突然二〇万人以上の命を奪った二〇〇四年一二月二六日のスマトラ島沖地震の津波や、働き盛りだった私の従兄弟が車で踏切を横断中に列車と衝突し、妻と四人の子どもを遺して事故死したケースがそうだ。だが、個人的危機や国家的危機の大半は、何十年もの時間をかけた進化的変化の頂点に達したときに起きる。たとえば、離婚にいたる夫婦の長年にわたる結婚生活の問題や、チリの政治や経済の持続的な問題の結果なのである。「危機」とは長期間にわたって蓄積されてきた圧力を突然自覚したり、圧力に対して突然行動を起こしたりすることである。この真理をわかりやすく表現したのは、オーストラリアのゴフ・ウィットラム首相だ。第7章で紹介するが、一九七二年一二月の就任からわずか一九日間のあいだに、すさまじい勢いで大改革とみえる新政策を続々と繰り出していったが、彼自身は「すでに起きていることを追認しただけ」といっている。

個人的危機と国家的危機

国家は、個人を大規模にしたものではない。個人との明確な相違点がたくさんある。それにもかかわらず、なぜ個人的危機というレンズを通すことで国家的危機の理解が促進されるのだろうか？　このアプローチの利点は何だろうか？

利点のひとつは、友人や学生たちと国家的危機について議論していてしばしば感じることだが、歴史家以外にとって、個人的危機のほうが馴染み深く理解しやすいということである。一般の読者にとって、個人的危機の視点から「それに相当する」国家的危機をみていくほうが簡単だし、複雑な問題も理解しやすい。

もうひとつの利点は、個人的危機の研究によって、同種の危機でも異なる帰結を招くことになる要因がすでに一二個挙げられていることだ。これらの要因は、国家的危機で生じるさまざまな帰結を導く要因を読み解くうえで役に立つだろう。個人的危機の一二の要因のいくつかは、そのまま国家的危機にも応用できる。たとえば、危機に陥った個人はしばしば友人の支援を受けるが、同じように、危機にある国家も同盟国に援助を要請することがある。また、危機にある個人は、似たような危機に対処した人を問題解決の手本にしたりする。危機にある国家も、似たような問題に直面した他国が編み出した解決策をまねしたり、応用したりするだろう。そして、危機を無事にくぐり抜けた人は自信を深める。それは国家も同様である。

以上はわかりやすい類似点である。だが、個人的危機を左右する一二の要因のなかには、単純には国家的危機に応用できないが、メタファーになっていると考えれば有益なものもある。たとえば、心理療法士は患者の「自我の強さ《エゴ・ストレングス》」を把握することが治療に役立つことを発見している。国家には心理学的な「自我の強さ」は存在し得ないが、これは国家にとって重要な意味を持つ、よく似た概念を思い起こさせる。「ナショナル・アイデンティティ」である。また、個人の場合、危機の解決策を選択する際に、制約が存在する場合がある。たとえば子育ての責任を負っているとか、仕事上の要請があるとかだ。もちろん国家はそんなものには縛られないが、国家にも選択を制約する要素がある。地政学や財政状態などだ。

個人的危機と国家的危機の比較は、類似しない要素もはっきりと浮き彫りにしてくれる。代表例としては、国家には指導者たちが存在し、個人にはいない。そのため、国家的危機では指導者たちの指導力、あるいは指導者たちが果たす役割が問題になるが、個人的危機ではそういうことはない。歴史家が長きにわたり議論しつづけているふたつの考え方がある。非凡な指導者たちが実際に歴史の流れを変えたのか（「リーダーシップ偉人説」と呼ばれる）、他の人が指導者だったとしても歴史は似たような結末だったのか（たとえば、ヒトラーは一九三〇年に自動車事故で死にかけたが、もし彼が事故死したとしても第二次世界大戦は勃発しただろうか）。また、国家には政治制度や経済制度があるが、個人にそのようなものはない。国家的危機の解決では、必ず何らかの集団同士の意思の疎通があり、集団的意思決定がおこなわれるが、個人の場合、意思決定をするのはその人自身だ。国家的危機の解決には、暴力革命（一九七三年のチリ）と平和的な漸進的変化（第二次世界大戦後のオーストラリア）のふたつがあるが、個人的危機の解決に暴力革命はあり得ない。

このように、個人的危機と国家的危機には、類似点、メタファー、相違点がある。私が教えるＵＣＬＡの学生たちが国家的危機への理解を深めるのに、個人的危機との比較は役立つと考えたのは、このためだ。

本書の扱うテーマとそのアプローチ

読者や書評者が本を読み進めていくうちに、本のテーマやアプローチが予想や期待と違うことに気づく、というのはよくあることだ。だからここで本書のテーマとアプローチを示し、採用しなかったテーマやアプローチも明確にしたい。

本書は、七つの近代国家において数十年間に生じた危機と実行された選択的変化についての、比較論的で叙述的《ナラティブ》で探索的な研究である。取り上げたのはすべて、私自身が個人的に直接かかわりを持ったことのある国々だ。それらの国家的危機と選択的変化を、個人的危機における選択的変化という観点から考察する。取り上げた国は、フィンランド、日本、チリ、インドネシア、ドイツ、オーストラリア、アメリカである。

つぎにこれらの用語の意味について、一つひとつみていこう。

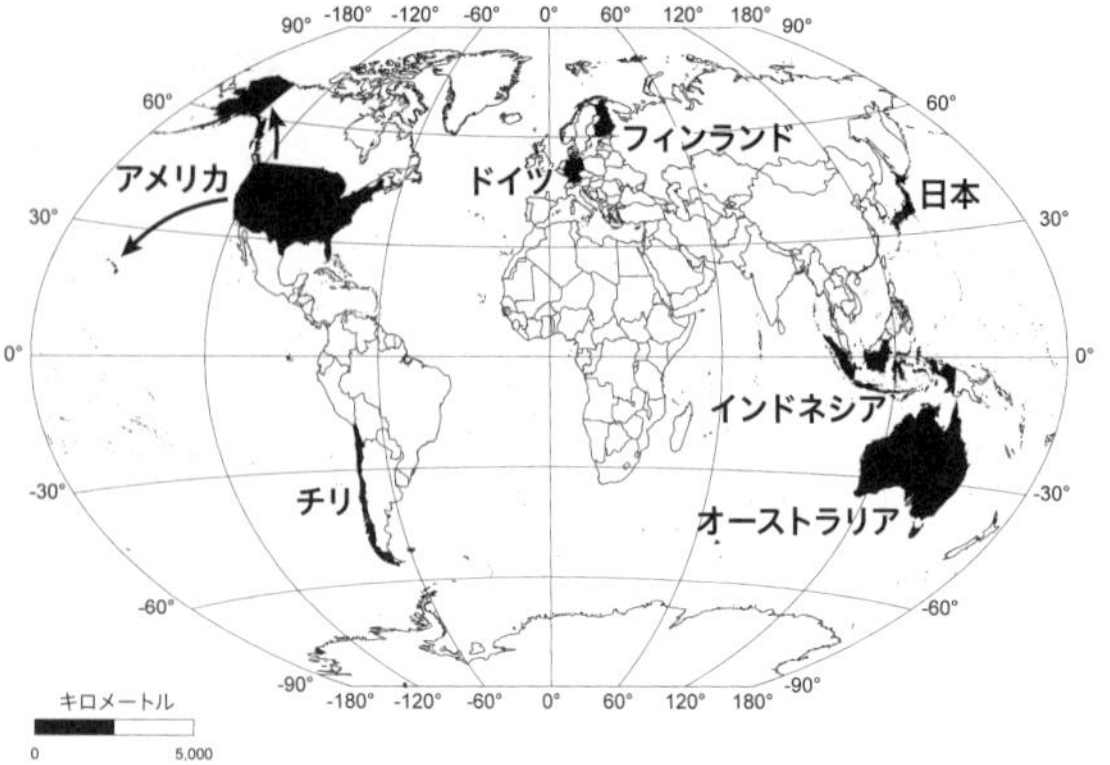

図1　世界地図

これは比較論的研究である。一カ国のみを論じる本ではない。七カ国それぞれにページを割き、それらの国同士を比較できるようにしている。私のような本の筆者は、単一ケースを提示して論じるか、複数ケースを比較して論じるかを選択する必要がある。どちらのアプローチにも異なる利点と限界がある。書籍のページ数が同じだとすると、単一ケースを扱うほうが詳細に論じることが可能だ。一方、比較研究では、単一ケースからは発見できないような問題や観点を紹介できる。

歴史の比較研究をすると、単一ケースを研究している場合には出くわさないような疑問が浮かんでくる。同種の出来事が、ある国では結果R^1を引き起こしたのに、別の国ではまったく異なる結果R^2になったのはなぜか？　たとえば、私はアメリカの南北戦争を扱った歴史書を読むのがたいへん好きなのだが、そういう本はゲティスバーグの戦いだけに六ページを費やすことができる。だが、スペイン内戦やフィンランド内戦の場合とは異なり、南北戦争では勝者が敗者の命を奪わず寛大さを示した理由を探求することはできない。単一ケースを扱う研究者は、比較研究は皮相的で単純化しすぎだと非難することが多い。一方、比較研究をしている研究者も単一ケースの研究者を、広範な論点に取り組めていないと非難する。これを端的に表現した警句がある。「一カ国だけを研究する者はひとつの国も理解できない」。というわけで本書では比較研究をしている。そのことで得られる利点も限界も織り込んだうえでのことだ。

　本書では、七カ国の議論にページを割り振っている。したがってそれぞれの国の記述が簡便なものにならざるを得ないことは痛感している。デスクに向かって、ふと後ろを振り返ると、書斎の床には高さ一・五メートルはある書籍や論文の山が一二あまりある。ひとつの山が本書の一章分の資料だ。戦後ドイツに関する高さ一・五メートル分の資料を圧縮して、一万一〇〇〇ワードしかないひとつの章にまとめるにはどうすればよいかを考えるのは、じつに苦しかった。これほど多くのことを割愛しなければならないなんて！　だが簡潔さには利点もある。興味を引かれる歴史の細部や例外や「ｉｆ《イフ》」や「しかし」に気を逸らされたり圧倒されたりすることなく、戦後ドイツと他の国々の主要な問題を比較できるのだ。面白いディテールについてもっと知りたいという読者のみなさんのためには、巻末の参考文献リストに単一ケースを研究している書籍や論文を挙げている。

本書の記述は叙述的である。これは、伝統的な歴史書の書き方であり、「歴史の父」である二四〇〇年以上前の古代ギリシアの著述家ヘロドトスやトゥキュディデスによって確立された。「叙述的」とは、客観的事実を記述する文章で議論を進めるスタイルのことで、数式や表、グラフなどを使ったり統計学的有意性を検証したりはせず、また取り上げるケース数は限られている。このやりかたの対極は、社会科学分野で近年さかんにおこなわれている計量的研究だろう。仮説検証型で、データの表やグラフをつくり、統計学的に有意になるよう膨大なサンプル数（つまりたくさんのケース）を集めるやりかたである。

現代的な計量的研究が持つ力は私も実感している。私もその手法を使って、ポリネシアの七三の島における森林破壊を統計学的に研究したことがある。[1] それによって、二、三の島の森林破壊について叙述的に記述しただけでは導き出せない、説得力のある結論に到達することができた。また、共編著を務めたある本[2]では、一部の著者が計量的手法を駆使して、叙述的に歴史を書いてきた人たちが議論だけを繰り返して結論を得られずにいた問題を鮮やかに解明してしまった。たとえば「ナポレオンのヨーロッパ征服と政治上の大変革はその後のヨーロッパ経済の発展にとってプラスだったかマイナスだったか」という問いだ。

当初私は、本書に現代的な計量的手法を採り入れたいと考えていた。数カ月のあいだ苦心を重ねたが、計量的手法は別プロジェクトの課題とせざるを得ないという結論に達した。そのため本書の役割は、将来に計量的手法で検証するための仮説や変数を、まず叙述的研究によって特定することである。私が取り上げたわずか七つの事例では、統計学的に有意な結論を導き出すには少なすぎる。「成功した危機解決」や「公正な自国評価」といった定性的概念を、研究で「操作可能な変数」にするためには、さらに労力をかける必要があるだろう。言語で表現される概念を、計量可能な何かに変換する必要があるのだ。そういうわけで、本書は、叙述的な探索的研究なのである。本書がきっかけとなり、今後計量的な検証がおこなわれることを希望している。

世界中に二一〇以上ある国のなかで、私は、自分がよく知っている七カ国だけを取り

1 Barry Rolett and Jared Diamond. Environmental predictors of pre-European deforestation on Pacific islands. *Nature* 431, 443-446 (2004).
2 Jared Diamond and James Robinson, eds. *Natural Experiments of History*. (Harvard University Press, Cambridge, MA, 2010). 〔ジャレド・ダイアモンド、ジェイムズ・A・ロビンソン編著『歴史は実験できるのか——自然実験が解き明かす人類史』小坂恵理訳、慶應義塾大学出版会〕

上げた。この七カ国にはこれまで何度も繰り返し訪れている。そのうち六カ国には、実際に長期にわたり住んだことがある。最初の国に移り住んだのは今から七〇年前のことだ。その六カ国語は話せたし、今も使っている言語もある。どの国もすばらしい国で大好きだし、再訪が楽しみな国ばかりだ。この二年以内に七カ国すべてに行っているし、そのうち二カ国には永住も考えていた。そういうわけで、私はこの七カ国については、自分自身の直接的な体験と、そこに住んでいる昔からの友人たちの経験をふまえ、豊富な知識をもって共感的に書くことができる。私や私の友人たちの体験はかなり長期間におよび、実際に大きな変化を目のあたりにしている。七カ国のうち、日本については私自身が直接経験したことは少し限られている。私は日本語が話せないし、日本に行くようになってからまだ二一年しか経っておらず、滞在期間も他の国と比べると短いからだ。だが、私には日本人の姻戚がいるのでその不足を補うことができる。彼らをはじめ、日本人の友人や指導する学生たちが生まれたときから経験してきたことを活用させてもらう。

もちろん、この七カ国は私自身の経験の多寡を基準にして選んだもので、世界の国々から無作為抽出されたサンプルではない。五カ国は富裕な先進工業国、一カ国はそこそこ裕福、一カ国は貧しい発展途上国。アフリカの国はゼロ、ふたつがヨーロッパ、ふたつがアジア、南米と北米からひとつずつ、そしてオーストラリア。この非ランダムなサンプルから私が導き出した結論が、どの程度他の国にもあてはまるかを検証するのは他の研究者に任せたい。そういう限界は認めるが、長期間にわたり自分自身の直接的な経験があり、友人がおり、（六カ国については）言語をよく知っているせいでよく理解できる国についてのみ論じることの優位性はとてつもなく大きいように思われたので、私はあえてこの七カ国を選んだ。

本書は、ほぼ全編にわたって現代の国家的危機を扱っている。私が生まれてから起こった危機ばかりだ。危機が発生していた当時の私自身の同時代的体験という視点から論じることを可能にするためだ。ここでも例外は日本で、私が生まれる前の変化についても書いた。日本にはふたつの章をあてた。ひとつは現代の日本に関するものだが、もうひとつは明治時代（一八六八～一九一二年）の日本について書かれている。明治の日本に関するこの章を含めたのは、意識的におこなわれた選択的変化の典型的な例として際立っていたからであり、それほど昔というわけでもなく、明治日本のさまざまな問題の記憶が現代の日本にも色濃く残っているからである。

もちろん、昔から国家的危機と変化は起こっており、似たような論点が提示されてきた。私自身の個人的な体験からそういう過去の論点に答えることはできないが、そのような危機をテーマにした文献は大量にある。四世紀から五世紀にかけての西ローマ帝国の衰退と滅亡や、南部アフリカで一九世紀に勃興し滅亡したズールー王国、一七八九年のフランス革命とそれにつづく社会の変革、一八〇六年のイエナの戦いでプロイセンが喫した壊滅的な敗北とナポレオンによる征服、それを受けたプロイセンの社会・行政・軍政改革はよく知られた例だ。この本を書きはじめてから数年経った頃、一九七三年に似たようなテーマの本（題名も『危機、選択、変化』である）がよりによって同じ出版社（リトル・ブラウン社）から出ていたことを発見してしまった！[3] その本は、歴史的事例の選び方などいくつか基本的な点で私の本とは違っていた（複数筆者の論文を一冊にまとめたもので「機能主義的システム論」という枠組みに沿って論じた本だった）。

プロの歴史研究者による研究は、史料研究を重視する。現代に残された一次史料を分析するのである。歴史書は、これまでまったく取り上げられたことがないか、取り上げられた回数の少ない文書を使ったり、すでに他の歴史家が取り上げた文書に新たな解釈を加えたりすることで、研究を正当化する。本書の参考文献で挙げた多くの書籍は史料研究だが、本書は違う。本書は、個人的危機から得られた基本的な枠組みという明確な比較論的アプローチにもとづき、私自身や私の友人たちが実際に経験したことを記述していく。

これは時事問題を取り上げる雑誌記事ではない。刊行から数週間だけ読まれて、賞味期限切れになるのではなく、何十年も絶版にならずに読まれつづけてほしいと思っている。こんなことをわざわざ述べたのは、アメリカの現政権の特定政策やトランプ大統領のリーダーシップ、イギリスのEU離脱交渉の進み具合といったことについては何ひとつ書かれていないことに、読者が驚くといけないと思ったからだ。このような急速に展開しつつある問題について今日私が書いたところで、本書が出版される頃には事態がすっかり変化しているだろうし、三〇年もすればそんな本はすっかり用なしだ。トランプ大統領や彼の政策やイギリスのEU離脱については、本書以外に大量に論考が出版されている。ただし、第9章と第10章では、この二〇年にわたってアメリカで進行中の大きな問題についてかなり詳しく書いた。現政権に替わって以来、それらはことに注目を集めており、今後少なくとも一〇年はそれらの問題が消えてなくなることはないだろう。

本書の構成

ここで本書自体の構成を示そう。第2章以降では国家的危機について費やすので、そ

3　Gabriel Almond, Scott Flanagan, and Robert Mundt eds. *Crisis, Choice, and Change: Historical Studies of Political Development.* (Little, Brown, Boston, 1973).

の前に第1章で個人的危機について論じる。私たちはみな個人的危機を経験したり、家族や友人の危機を目にしたことがあるはずだ。そこから、危機が迎える結末には非常に多様性があるということを経験上知っている。ベストなのは、より良い新しい対処法を考え出し、その人がより強くなる。いちばん悲しいのは、危機に打ちのめされて昔からある対処法に頼ってしまったり、新しいけれど悪い対処法を選んでしまうことだ。危機に陥った人が自殺する場合もある。心理療法士は、個人的危機を克服できる確率を高めてくれる要因を数多く突き止めてきたが、第1章ではそのうちの一二の要因について論じる。本書ではこれらに類似する要因が国家的危機の帰結にも影響すると考え、検討していく。

「一二も要因があるなんて、とても覚えきれないじゃないか、二、三個に絞ればいいのに」とやる気をなくしてため息をつく読者の方には、こうお答えしたい。人々の人生や国家の歴史がたった二、三の標語に要約できるとしたら、それはでたらめな考え方だ。そんなことができると主張する本を運悪く手に取ってしまったのだとしたら、読まずに捨てたほうがいい。その反対に、危機解決に影響する全七六個の要因についてすべて論じようという本を運悪く手に取ったのなら、そんな本も捨てていい。果てしなく複雑な人生のあれこれを要約し、優先順位をつけ、有用な枠組みをこしらえる——これは本の書き手の仕事であって、読者に押しつけるべき仕事ではない。要因を一二に絞るのは、この両極端のあいだの妥協点としては許容範囲にあると思う。現実世界のことの大部分を説明できるくらいの細かさだが、リストが長々としすぎない程度の詳しさだ。長いリストをつくって全部を網羅しても、世界を理解することにはならない。

導入部となる第1章の後に、二章で一セットをなす章が三セット、計六章続く。各セットでは、異なるタイプの国家的危機を論じる。ひとつめは、他国からの衝撃によって突然の大変動に発展した国（フィンランドと日本）。ふたつめは、国内の激変によって、突然の大変動に発展した国（チリとインドネシア）。三つめは、突然の激変はなく、危機がゆっくりと進展していった国で、とくに第二次世界大戦が引き金となって生じた圧力によるものに重点をおく（ドイツとオーストラリア）。

フィンランドの危機（第2章）は、一九三九年一一月三〇日にソ連による大規模な攻撃によって突然はじまった。この冬戦争でフィンランドを支援してくれる国は皆無だった。潜在的な同盟国から見殺しにされ、フィンランドは甚大な被害を被ったが、ソ連に対抗して独立を維持することには成功した。当時の人口は、ソ連のわずか五〇分の一にすぎなかった。私がフィンランドにひと夏のあいだ滞在したのは、それから二〇年後のことだ。冬戦争で戦った退役軍人や戦争未亡人、戦争孤児たちの家を訪れた。この戦争の影響は、選択的変化というかたちではっきりと残っており、フィンランドは対照的な要素が混在する類例をみないモザイク状を呈していた。自由民主主義を掲げる豊かな小国でありながら、保守的独裁者が支配する隣の貧しい大国・ソ連の機嫌を損ねないためなら何でもする、という外交政策を採用したのだ。歴史的背景を理解しない外国人の多くは、恥ずべき外交政策とみなし、それを「フィンランド化」と呼んで非難した。私はフィンランド滞在中、そういう見方を無学さゆえに口にしてしまった。冬戦争を戦った老兵は、他国からの支援を完全に断たれるという苦い経験からフィンランド人が学んだ教訓について、礼儀正しく私に説明してくれた。その夏の私にとって、もっとも心動かされた時間だった。

国外からの衝撃によって国家的危機を引き起こされたもうひとつの国は日本である。一八五三年七月八日、江戸湾入口の浦賀沖にアメリカ海軍の艦隊がやってきて、条約の締結とアメリカの船舶と乗組員に対する諸権利を要求した。これによって長くつづいた日本の鎖国政策は終わりを迎える（第3章）。その結果、日本のそれまでの統治制度は崩壊し、意識的に選択された多岐にわたる抜本的変革がおこなわれ、同じく意識的に選択された多くの伝統が保持された。そのおかげで、今日の日本は世界のなかでももっとも独特な、富裕な先進工業国となった。アメリカの艦隊がやってきてからの数十年間、明治時代に起きた日本の変貌をみていくと、個人的危機に影響を与える要素の多くが、国家レベルではどう作用するのかが驚くほどよくわかる。明治時代の意思決定の過程とその結果成功した軍事行動をみれば、なぜ日本が一九三〇年代には異なる意思決定をし、第二次世界大戦で壊滅的な敗北を喫したのか、その理由を理解するのが容易になる。

第4章は、政治的妥協の破綻という国内の激変が原因で危機に陥った例のひとつめの国であるチリについて論じる。民主的選挙で選ばれたアジェンデ政権は数年にわたって政治的に行き詰まっていたが、一九七三年九月一一日に軍事クーデターによって倒され、その首謀者ピノチェト将軍がその後一七年近くにわたって権力を握った。私はクーデターの数年前にチリに住んでいたが、当時のチリ人の友人たちのなかで、クーデターが起こることや、ピノチェトの政府が世界記録を打ち破る勢いで数多くの市民に残忍な拷問をするなど、予想していた者はだれもいなかった。それどころか、チリには他の南米諸国にはない民主主義の長い伝統があることを誇らしげに説明してくれたものだった。現在のチリは、南米のなかでは外れ値といえる民主主義国家にふたたび戻ったが、アジェンデの国家モデルとピノチェトの国家モデルのそれぞれ一部を選んで選択的変化を遂げた。本書の草稿に目を通してくれたアメリカ人の友人たちは、このチリの章がいちばん恐ろしいとコメントをくれた。民主国家がこれほど短期間に残虐非道な独裁国家にすっかり変貌してしまうことに恐ろしさを感じたのだ。

チリの章とセットになっているのはインドネシアを題材にした第5章だ。やはり政治的妥協の破綻が、一九六五年九月三〇日から一〇月一日にかけて、クーデターの企てという国内の激変を起こす。だが、クーデターの結果はチリとは正反対だった。クーデターは制圧され、その企てを支持したと考えられた政党関係者の大量虐殺がおこなわれたのである。インドネシアは、その他の点でも、本書で論じられている他のすべての国との対照が際立っている。七カ国のなかでもっとも貧しく、工業化や西洋化もいちばん進んでいない。ナショナル・アイデンティティの歴史もいちばん浅く、私がインドネシアの研究をするようになったここ四〇年間に形成された。

さて、つぎの二章（第6章と第7章）では、ドイツとオーストラリアの危機について論じる。この二カ国では、突然の激変はなく、危機がゆっくりと進行していったように一見思える。このように徐々に事態が進展していくのを「危機」や「大変動」と呼ぶことに抵抗を覚える方もいるだろう。たとえ他の名称を使うにしても、突然起きる変化を論じるのと同じ枠組みで捉えることには利点があると思う。選択的変化をめぐる問題は同じだし、結果に影響する要因も同じだからである。それに「爆発的に起こった危機」と「ゆるやかな変化」の違いは恣意的であり、はっきりしているわけではないし、境目はぼやけている。チリのクーデターのように明らかな突然の変化でも、そこにいたる何十年ものあいだに緊張が徐々に高まっていった結果であり、クーデター後もゆっくりとした変化はつづいていった。私が第6章と第7章で論じるのは、「一見したところでは」徐々に進展していったようにみえる危機である。実際、戦後ドイツの危機は、本書で取り上げた他のどの国よりも衝撃的な荒廃を経験した時点、つまり第二次世界大戦で降伏した一九四五年五月八日の悲惨な状況からはじまっている。同様に、戦後オーストラリアの危機もゆっくりと進行していったが、きっかけとなったのは、三カ月足らずのあいだに経験した三度の衝撃的な軍事行動の敗北である。

突然起きた危機ではない事例のひとつめは、第二次世界大戦後のドイツである（第6章）。ドイツはナチス時代の負の遺産問題と、社会の階層構造をめぐる意見対立、東西ドイツの政治的分断問題というトラウマを同時に抱えた。他国との比較という観点からみると、戦後ドイツの危機解決を特徴づける要素には、並外れて暴力的だった世代間の衝突、強い地政学的制約、ナチスドイツの残虐行為の犠牲となった国々との和解プロセスなどがある。

突然起きた危機ではない事例の残りのひとつは、オーストラリアだ（第7章）。私がこの国を訪れるようになった五五年のあいだに、オーストラリアはナショナル・アイデンティティをつくり替えた。私が一九六四年に初訪問したときは、本国から遠く離れた太平洋上の辺境にあるイギリス植民地、という雰囲気だった。みずからのアイデンティティをイギリスに求め、いまだに白豪主義を掲げ、ヨーロッパ系以外の移民を制限したり排除したりしていた。だが、オーストラリアはアイデンティティの危機に直面していた。白人、イギリス人というアイデンティティと、オーストラリアの地理的位置や外交政策上の必要性、防衛戦略、経済、人口構成とのあいだの軋轢《あつれき》がしだいに増していたからである。今日のオーストラリアは、貿易面でも政治面でもアジアに目を向けている。街にも大学のキャンパスにもアジア人があふれている。イギリス女王を国家元首として戴く君主制を廃止するかどうかという国民投票がおこなわれた際には存続派が勝利したが、得票差はほんのわずかだった。だが、明治日本やフィンランドと同様、先に紹介したような変化は選択的である。いまだに議会制民主主義国家であり、英語を国語とし、国民の大多数はイギリスにルーツのある人々である。

ここまで述べてきた国家的危機は、人々にしっかりと認識され、すでに克服された危機（少なくとも克服が長きにわたって進行中）なので、評価可能な結果がすでに現れている。だが、第8章以降の四つの章では、結果がまだわからない現在進行中の危機、あるいは将来起きるだろう危機を論じる。この第3部の最初に取り上げたのは、第3章でも論じる日本である（第8章）。今日の日本は、数多くの根本的問題に直面している。そのうちのいくつかは日本の国民も政府もよく認識している問題だが、それ以外にもあまり認識されていない、あるいは多くの日本人が存在を否定している問題がある。現在のところ、これらの問題は解決に向かっているようにはみえない。日本の未来は日本人自身の手のなかにあり、だれにでもつかみ取ることができる。明治日本が勇敢に危機を克服した記憶は、現代の日本が成功をつかむのに役立つだろうか。

そのつぎのふたつの章（第9章と第10章）は、私自身の国、アメリカに関するものだ。

私は、増大しつつある危機を四つ特定した。これらは今後一〇年間にアメリカの民主主義と国力を損なう可能性がある。同じことがすでにチリでも起こっている。もちろんこれらは私だけが発見したことではなく、多くのアメリカ人が公の場で議論している問題であり、危機意識が多くのアメリカ人に広まっている。私のみるところ、現在この四つの危機が解決に向かっている兆候はない。それどころか悪化しているようにすら思える。だがアメリカには、明治日本と同様、危機を克服した記憶がある。なかでも最大の危機は、長く国を分断した南北戦争と、それまでの孤立主義を捨てて第二次世界大戦への参戦を余儀なくされたことだ。これらの危機に関する記憶が、現在のアメリカの成功に役立つだろうか？

最後に来るのは全世界（第11章）の問題である。世界が直面する問題を並べれば、無限に長いリストをつくることもできる。だが私は四つの問題に焦点を合わせる。すでに動きだした四つの問題に関連する傾向がこのままつづけば、数十年内に全世界の人々の生活水準を低下させる。日本やアメリカには、ナショナル・アイデンティティを形成した長い歴史があり、自前の政府を持ち、集団行動によって成功した記憶がある。だが、世界にはそのような歴史も経験もない。世界を鼓舞するような記憶がない状態で、世界は致命的結末を全人類にもたらしかねない問題に初めて直面している。はたして世界は問題解決に成功するだろうか？

本書の締めくくりとなるエピローグでは、七カ国および世界についての観察を、一二の要因に照らし合わせて再確認していく。国家が大きな変革をおこなうには、危機という刺激が必要なのだろうか？　急性の危機を抱えた患者のために心理療法を改良するには、ココナッツグローブ大火という衝撃を必要とした。国家は、ココナッツグローブ大火のような衝撃がなくとも変革できるのだろうか？　指導者に歴史の方向を決定づける影響力があるかどうかについても考察する。また、先々の研究の方向性をいくつか提案したい。さらに歴史研究によって現実的に得られるであろういくつかのタイプの教訓も示す。もし人々が、あるいは指導者だけでも、過去の危機をよく考えてみようと思ってくれれば、過去を理解することが、私たちの現在と未来の危機克服の役に立つかもしれない。

第1部

個人

第1章　個人的危機

ある個人的危機

二一歳のとき、私は研究者人生で最大の危機を経験した。私は教養ある両親の長子として、ボストンで少年時代を過ごした。父はハーバード大学医学大学院の教授、母は言語学者でピアニストで教師でもあった。私は勉強が大好きで、両親もそれを励ましてくれた。すばらしい中高一貫の男子校（ロックスベリー・ラテン・スクール）から、すばらしい大学（ハーバード大学）に進学した。大学生活は順調で、すべての科目で優等な成績をおさめ、学部時代に二本の研究論文を発表し、首席で卒業した。小児科医でもあった父の影響と、学部での研究が楽しくて成果を上げた経験もあり、私は生理学で博士号取得をめざすことにした。そして、一九五八年九月にイギリスのケンブリッジ大学大学院に入学した。私がケンブリッジ大学を選んだのは、生理学研究で当時、世界トップだったからだ。さらに、初めて実家から遠く離れて一人暮らしができるし、ヨーロッパを旅して、すでに独学で身につけていた六カ国語を使えるという別の理由もあった。

ケンブリッジ大学大学院での研究は、ロックスベリー・ラテン・スクールやハーバード大学での授業に比べ、さらに学部時代の研究に比べても、はるかに難しいことがすぐにわかった。研究室と実験室を提供してくれた博士課程の指導教官は、偉大な生理学者で、その当時、デンキウナギの発電器官を研究しようとしていた。そして、発電細胞へのナトリウムとカリウムの陽イオンの流入を測定するように、と私に指示した。それをするには、装置を自分でつくらなければならない。だが、私は手先が器用ではなかった。高校時代に鉱石ラジオをつくる宿題が出たときも、だれかの手助けなしでは、こなせなかったくらいだ。電気関係のちょっとでも複雑なことさえ無理なのに、ウナギの細胞膜を調べる装置の設計など、見当もつかなかった。

ハーバード大学の指導教官はケンブリッジ大学へ私を強く推薦してくれていた。だが、その時点で私がケンブリッジ大学の指導教官の期待外れなのは明白だった。私は共同研究者として使い物にならないのだ。私は他の実験室をあてがわれ、自力で研究課題をみつけるようにいわれた。

不器用でもできる研究課題を必死に考え、単純な袋状の臓器である胆嚢《たんのう》によるナトリウムイオンと水分子の輸送を調べることにした。必要な技術は基礎レベルだ。水分で満たした魚の胆嚢を一〇分おきに正確に計量し、水分量を調べるだけだ。これなら私にもできる、と思った。胆嚢自体はさほど重要ではないが、腎臓や腸などもっと重要な臓器と共通する構造の上皮がある。一九五九年当時、胆嚢をはじめとする上皮細胞はすべて、細胞膜を通してイオンが輸送されると電位差が生じることが知られていた。ところが、私が胆嚢を計測しても、電位差がゼロだった。当時の私の知識では、これはつぎのいずれかを示す有力な証拠に思えた。電位差はあるのに私が基礎的技術すらないためにそれを検出できないか、私が上皮細胞を破壊してしまって、それが機能していないか。どちらにしても、私は実験生理学者としてまたもや失敗したということだ。

自信喪失がさらにひどくなったのは、一九五九年六月にケンブリッジで開催された第一回国際生物物理学会に出席したときだった。世界中の何百人もの科学者が成果を発表しているのに、私には何もないのだ。私は屈辱感に苛まれた。これまでつねに成績トップだったのに、今の私は能なしだ。

科学者としての将来に冷静な疑問がわきはじめた。ヘンリー・デイヴィッド・ソローの有名な『ウォールデン 森の生活』を何度も読み返すうちに、私への教訓をみつけて動揺した——私たちが科学を探究する真の動機は、他の科学者から承認されたいというううぬぼれだというのだ（たしかに、大半の科学者にとってはそれが大きな動機だ！）。しかしソローは、説得力のある言葉で、そのような動機を空《むな》しいふるまいと切り捨てていた。承認欲求という虚栄心にそそのかされずに、人生で本当に追究したいことを明確にするべきだ――これが『ウォールデン 森の生活』の核となるメッセージだった。この作品を読んだことで、ケンブリッジ大学で学究をつづけるべきかどうかという私の迷いは、さらに深まった。だが、決断の時は迫っていた。夏休みが終われば、大学院の二年目がはじまるが、退学しないのなら研究室に連絡しなければならない。

六月末、私はフィンランドに旅行し、一カ月間滞在した。次章で述べる通り、それは私にとってすばらしく、とても意味のある経験だった。私は初めて、言語を――難しいが美しいフィンランド語を――教科書からではなく、実際に人々の会話を聞いたり人々と話したりすることで学んだ。私はそれに熱中した。生理学の研究は落胆と失敗つづきなのに、語学では満足感と成果が得られたのだ。

フィンランド滞在が終わる頃になると、私は、科学者になるのを諦めることを真剣に考えていた。実際のところ、科学だけでなく、学者になること自体をやめようかと考えていた。代わりにスイスへ行き、語学力を活かして、国連の同時通訳者になろうかと考えた。それは私が大学教授の父を手本にして頭に描いてきた、研究生活や創造的思考、学問的名声といったものに背を向けることを意味する。稼げる通訳者にはなれないだろうが、少なくとも自分が好きで得意なことができると、当時の私は思った。

私の危機が表面化したのは、フィンランドからの帰り道にパリで両親と一週間過ごしたときだった（一年ぶりの再会だった）。私は両親に、研究職への不安を実際的かつ冷静に説明し、通訳になろうかと思っている、と告げた。両親にとって、思い悩む息子をみるのは、苦痛な時間だっただろう。だが、ありがたいことに、父も母も私の話に耳を傾けてくれ、こうしなさいと指図することはなかった。

危機は、ある朝、両親と三人でパリの公園のベンチに腰掛けているときに解決した。そのときも私たちは、私が科学者への道をここで諦めるべきか、つづけるべきかについて、あれこれ検討していた。ついに父が、穏やかな口調で、押し付けがましくならないように、ひとつ提案した。たしかにきみは科学者としてのキャリアに不安があるかもしれない。だけど、まだ大学院の一年目だし、胆嚢の研究に挑戦したのもたった二、三カ月だけだよ。思い描いていた一生の仕事をここで諦めてしまうのは、早すぎるんじゃないかな。とりあえずケンブリッジ大学に戻って再挑戦してみて、あと半年だけ胆嚢の研究に取り組んではどうかな？　もしうまくいかなければ、来春に退学してもいい。取り返しのつかない大きな決断を、今すぐに下さなくていいんじゃないかな。

父の提案は、溺死寸前の私に投げられた救命胴衣のように感じられた。大きな決断を先延ばしする立派な理由（あと半年頑張る）が与えられ、この先延ばしを恥じなくて済む。先延ばししても、研究者に絶対になるわけでもない。半年後にも、同時通訳者になる選択肢は残っている。

こうして問題は解決した。私は、ケンブリッジ大学に戻り、大学院の二年目をはじめた。胆嚢の研究も再開した。そして、一生の恩人となる生理学の若手教員二人の手助けを得て、研究の技術的問題を解決できた。とくに、そのお一方《ひとかた》のおかげで、私の胆嚢の電位差の測定法はまったく間違っていないことがわかった。胆嚢は、適切な条件下であれば、私でも測定できる電位差を発生していた（いわゆる「拡散電位」と「流動電位」）。ただ胆嚢内では、イオンと水分子が細胞膜を通して輸送されても電位差が生じない。その理由は驚くべきものだった。胆嚢の上皮細胞は、陽イオンと陰イオンを同量輸送させるので、細胞膜の内側と外側に電位差が生じないのだ（この当時知られていた輸送上皮のなかで胆嚢だけが持つ特徴だった）。

この研究成果に他の生理学者も徐々に注目するようになり、私自身も楽しくなってきた。胆嚢の実験が成功したことで、他の研究者からの承認欲求という虚栄心への疑念も霧消した。結局ケンブリッジ大学で四年間研究し、博士号を取得し、アメリカに帰国して、好条件で生理学の研究教授職につき（最初はハーバード大学、その後ＵＣＬＡ）、生理学者として大きな成功をおさめた。

以上が、私が研究者人生で初めて遭遇した危機の話だが、これは個人的危機としてはよくあるタイプの話だろう。もちろん、これが人生最後の危機ではない。最初ほど深刻ではないが、一九八〇年頃と二〇〇〇年頃にも、研究の方向性に関する危機があった。

最初の結婚と七年半後の離婚という、深刻な個人的危機もこの最初の危機の後に経験した。微視的には、一九五九年の私の最初の職業上の危機は、私固有の危機だった。胆嚢の生理学研究をやめて、同時通訳者になろうかと迷った史上初の人類だろう。だが、これからみていくように、巨視的には、一九五九年の私の危機は一般的な個人的危機の典型である。

危機がたどる経過

一九五九年に私が遭遇したような個人的な「危機」を含んだ激変は、おそらく読者のみなさんも経験済みか、これから経験するだろう。自分が危機の真っ只中にあるとき、「危機の定義」などという設問をして考え込む人などいない。危機がまだつづいているか、終わったかが自分でわかるからだ。危機が過ぎ去った後、振り返る余裕ができたとき初めて、これまでの対処法や問題解決法が通用しない強力な難題に直面していたのだ、と自分のなかで定義するだろう。みなさんは新しい対処法を得ようと苦悩しただろう。その過程で、私がしたように、自分のアイデンティティや価値観、世界観をあらためて再考することになる。

個人的危機の形態も原因も、たどる経過も多種多様なのは間違いない。たとえば、予期せぬ単発の衝撃というかたちもある。愛する人の突然死、何の予告もなしの解雇、重大事故や自然災害などだ。結果として生じた喪失が危機を引き起こすのは、実質的な喪失そのものばかりが原因ではない（たとえば、配偶者がいなくなる、など）。それだけではなく、喪失は心の痛みをもたらし、世界は公平だという信念を打ち砕く。ココナッツグローブ大火の犠牲者の家族や友人たちの経験が、まさにこれである。一方で危機のなかには、爆発するまでじわじわと問題がふくらむタイプもある。破綻した結婚生活、自分自身や自分が愛する人の深刻な慢性疾患、金銭上や仕事上の問題などだ。さらに、人生移行（思春期、中年期、退職時、老年期など）に起こりがちな発達危機だ。たとえば中年の危機に陥ると、人生最良の期間は過ぎ去ったと感じ、残りの人生を満足のいくものにする目標を一生懸命探そうとする。

　さまざまなかたちの個人的危機を挙げたが、原因としてもっとも多いのは人間関係の問題である。離婚や、近しい人との仲違いや別れ、配偶者との関係継続に疑問を生じさせる不平不満などだ。離婚をすると、人はこんなふうに自問しがちだ。私は何を間違えたのだろう？　なぜ配偶者は私と別れたかったのか？　なぜこんなまずい選択をしてしまった？　再婚したら、今までと何を変えればいいだろう？　そもそも再婚などあり得るのだろうか？　自分で選んだもっとも身近な人とすらうまくやれない自分は、だめな人間では？

人間関係以外で、個人的危機の原因として多いのは、愛する人の死や病気、健康状態の悪化、仕事や経済状態にかかわる不安である。信仰に関係する危機もある。篤信家が疑念にとらわれて苦しんだり、不信心者が急に宗教に引きつけられることもある。原因が何であれ、これらの個人的危機に共通するのは、人生に対処するうえで重要な何かがうまくいっていない、何か新しい対処法をみつけなければいけない、という感覚である。

私が個人的危機に興味関心を抱くようになったのは、多くの方々も同じだと思うが、自分自身の危機経験や、友人や家族の危機だった。きっかけはよくあるものだったが、私の場合、妻マリーが臨床心理士だったので、興味関心がさらに高まった。マリーと結婚した年、彼女は地域精神保健センターで一年間の研修を受けた。そこにあるクリニックでは、危機を抱えた患者に短期間のメンタルケアを提供する。危機にある人々がクリニックに足を運んだり電話をかけたりするのは、一人では解決できない大きな難問に圧倒されていると感じるからだ。クリニックのドアが開いてつぎの患者が入ってくるとき、カウンセラーは前もって患者の抱える問題を知っているわけではない。けれどもカウンセラーは、あらゆる患者同様、新しくやってきた人もこれまでの対処法がまったくうまくいかないと感じ、急性の個人的危機に圧倒されているということはわかっている。

クリニックの危機療法では複数回のカウンセリングをおこなうが、その帰結はさまざまだ。最悪のケースでは患者が自殺を企て、ときに実際に自殺してしまう。効果的な新しい対処法をみつけだせなかった患者は、従来のやりかたに逆戻りし、悲しみや怒り、不満に苛まれてしまうかもしれない。だがベストなのは、患者が新たな、より効果的な対処法をみつけて、以前より強くなって危機を脱することだ。これを漢字二文字の「危機」はよく表している。「危」は「あぶないこと」、「機」は「きっかけ、機会」を意味する。同様な考えを、ドイツの哲学者フリードリッヒ・ニーチェは「あなたを殺さないものは、あなたを強くする」と表現し、ウィンストン・チャーチルは「良い危機をけっして無駄にするな」と言った。

心理療法士など援助者の観察によれば、急性の個人的危機は約六週間以内に変化がみられるという。その短い移行期に、自分が大切にしてきた信条に疑念を抱き、それまでの長期にわたる比較的安定していた期間に比べ、個人的変化を受け入れやすくなるというのだ。人は六週間以上にわたって悲しみつづけたり、苦しみに耐えたり、怒りつづけたり、失業状態のままでいたりはできるが、そのあいだに何ひとつ対処法を試さずに生きるのは難しい。六週間ほどのあいだに、何か新しい対処法を試し、それが最終的にうまくいくこともあるが、それが単に新たな不適切な対処法だったりもする。あるいは、危機以前に使っていた不適切な対処法に逆戻りすることもある。

もちろん、この急性の個人的危機についての上記の観察は、人生がつぎのような単純すぎるモデルにあてはまると示唆しているわけではない――(1)心理的ショックを受けて、タイマーを六週間後にセットする、⑵これまでの対処法の欠点を認める、⑶新しい対処法を探す、⑷タイマーが鳴って、諦めて逆戻りするか、うまくいって危機を脱出し、その後ずっと成功裏に暮らす（危機が解決された状態や幸福がつづく）。いや、人生はそのようには進まない。人生における変化の多くは、急性期なしに徐々に進行する。問題が深刻化したり切迫した危機となって自分を押しつぶす前に、問題に気づいて解決できることも多い。急性期を経た危機でも、いつのまにか長いゆっくりした回復期に移行することがある。中年の危機は典型例で、不満の爆発や解決へのわずかな兆しは急に現れるが、解決策の効果が出るまでには何年もかかるかもしれない。解決済みの危機が再発することもある。たとえば、ある夫婦が不和を解決し、離婚の危機を乗り越えたとしても、時間とともに、その解決法がうまくいかなくなって、前と同じか似たような問題が再発することもある。私のように、ひとつの危機にうまく対処した後に別の問題と新たな危機に直面することもある。しかし、こうした注意を考慮に入れても、多くの人は前述の経過に近い道筋をたどって、危機をくぐり抜けるという事実は変わらない。

危機への対処

心理療法士は、危機にある人にどう対処するのだろうか？　昔から実践されている長期間の心理療法では、現在の問題の根本原因を解明しようと心理療法士は患者の子ども時代の経験を探るが、患者が危機の真っ只中のときには、この療法は時間がかかりすぎて不適切だ。危機療法は、切迫した危機自体に焦点を合わせる。これは、ボストンのマサチューセッツ総合病院に勤務していた精神科医のエリック・リンデマン博士が、ココナッツグローブ大火直後に考案した治療法である。大火のときには、ボストン中の病院が、何百人もの重傷者や瀕死の人の命を救うという医学的試練に立ち向かったが、同時に、それをさらに上回る数の、犠牲者の家族や友人たち、あるいは大火の生存者たちを襲う、悲しみや罪悪感に対処するという心理学的試練にも対応しなければならなかった。なぜこんな惨事が起きるのか、そして、自分の愛する人が、焼死、圧死、窒息死といった悲惨な亡くなりかたをしたのに、自分はどうしてまだ生きていられるのか、と彼らは自問していた。たとえば妻を亡くした男性は、自分が妻をココナッツグローブに誘わなければ妻は死なずに済んだのだと自分を責めた。そして罪の意識に耐え切れず、妻のもとへ行こうと、窓から飛び降りたのである。大火の被害者の火傷は外科的に治療できるが、心理療法士はどうすればトラウマを抱えた人々の助けになるのか？　これは、ココナッツグローブ大火が心理療法そのものにもたらした危機であった。そして、このときの対応が、危機療法のはじまりとなるのである。

トラウマを抱えた膨大な数の人たちを救おうと、リンデマン博士は「危機理論」を体系化した。その後、この危機療法は前述のような急性期の危機への対処法として広まった。そして数十年にわたり、心理療法士たちによってさまざまな危機療法の手法が探求されてきた。現在では、多くのクリニックで実践され、教えられている。危機療法は、基本的に短期間の心理療法であり、週一回のカウンセリングを五、六回だけおこなう。ほぼ危機の急性期に重なる期間である。

危機に陥った人は、自分の人生は何もかもがうまくいかないという気持ちに打ちひしがれやすい。思考停止状態では、できることをひとつずつやって前に進むことは難しい。したがって、初回カウンセリングで心理療法士がおこなうことは——または、自力で、あるいは友人の助けを借りて危機に対処する際の第一歩は——思考停止状態を克服するために「囲いをつくる」ことだ。危機に陥ってからうまくいかない問題を特定する作業のことで、「この囲いの内側が自分の人生をおかしくしている問題だけれども、この囲いの外側は通常通りで心配いらない」と考えられるようになる。問題を明確化し、それに「囲い」をつけるだけで、心が軽くなることもめずらしくない。そうなれば、心理療法士は、患者が囲いの内側の問題に対処する新たな方法を探求するのを、手助けすることができる。その結果、患者を思考停止に陥らせる全面的変化というほぼ実行不可能な方法を退け、選択的変化という実行可能な方法に着手させられるのだ。

患者が初回カウンセリングで求められるのは「囲いづくり」だけではない。「なぜ、今？」という問い、つまり「なぜ、今日、クリニックに来ることにしたのか？　なぜ、もっと前ではなく、今、危機にあると感じ、クリニックに行かないという選択もあるのに、なぜ来たのか？」という問いだ。たとえばココナッツグローブの大火のような予想外の惨事の結果、危機が生じた場合は、答えが明らかなので「なぜ、今？」という問いは必要ない。だが、ゆっくりと時間をかけて高まった危機や、思春期や中年期といった人生の一時期に関係する発達危機の場合には「なぜ、今？」かは明白ではない。

典型例を挙げよう。夫の浮気を相談に来た女性がいたとする。しかし、女性から話を聞いてみると、かなり前から浮気を知っていたという。なぜ女性は、一年前や一カ月前ではなく、今日、相談に来たのだろう？　直接の原因は、夫の一言か、あるいは浮気の中身のせいで彼女の堪忍袋の緒が切れたのか、あるいは他人にはつまらないことにみえる出来事から自分の過去の重大な記憶がよみがえったのかもしれない。患者は、「なぜ、今？」という問いの答えを意識していないことも多い。だが、患者本人、心理療法士が危機を理解し、双方が共通認識を持つうえで、「なぜ、今？」の答えは助けになることがある。私が一九五九年に経験した研究者人生の危機では、問題は半年前からあった。だが八月第一週が「今」になったのは、そのとき両親とパリで会い、彼らにケンブリッジ大学の生理学研究所での研究二年目を来週から開始するかどうかを告げる必要性があったからである。

もちろん、短期的な心理療法だけが個人的危機への対処法ではない。私が短期的な心理療法について触れたのは、六回のカウンセリングで構成される限られた期間の危機療法と、国家的危機への対処法とに類似点があるからではない。もちろん、国家的危機に際して、国民的な大集会を短期間に六回開催する、などということはない。私が短期的な危機療法に注目したのは、これまでの心理療法士たちの実践によって膨大な経験的知見が蓄積され、所見が広く共有されているからだ。これまでに個人的危機の帰結に影響する要因については議論が重ねられ、論文や書籍が発表されている。地域精神保健センターで研修を受けた一年間、妻のマリーは毎週のようにこの議論について私に話してくれた。そして彼らの議論から、国家的危機の帰結に影響する可能性のある要因に対する示唆が導き出せるのではないかと考えたのだ。

帰結を左右する要因

危機療法の専門家たちは、個人的危機の解決の成功率を多少なりとも上げる要因を、少なくとも一二個突き止めている（表1・1参照）。このなかで療法の開始前、あるいは開始時に、決定的に重要な要因がいくつかある。まず、それらからみていこう。

表1・1　個人的危機の帰結にかかわる要因

1	危機に陥っていると認めること
2	行動を起こすのは自分であるという責任の受容
3	囲いをつくり、解決が必要な個人的問題を明確にすること
4	他の人々やグループからの、物心両面での支援
5	他の人々を問題解決の手本にすること
6	自我の強さ
7	公正な自己評価
8	過去の危機体験
9	忍耐力
10	性格の柔軟性
11	個人の基本的価値観
12	個人的な制約がないこと

1　危機に陥っていると認めること

危機療法を受ける前提となる要因である。この認識がなければ、クリニックに足を運ぶこともないし、（クリニックに行かない場合には）自分で対処しようとも思わない。「たしかに、私は問題を抱えています」と認めなければ、問題解決へ進めない（危機に陥っていると認めるまで時間がかかるかもしれない）。私の一九五九年の研究者人生の危機も、学業で一度もつまずいたことのない自分が、科学者として役立たずだと認めたことがはじまりだった。

2　自分の責任の受容

しかし、「私は問題を抱えている」という自覚だけでは不十分だ。問題を認めた後にこう考える人が多い。「たしかに、私は問題を抱えている。でも、この問題は他人の落ち度のせいだ。他の人や外からの影響のせいで不幸な人生になったのだ」。このような自己憐憫《れんびん》と被害者意識は、自分の問題に取り組もうとしない人がしばしば使う口実である。そういうわけで、「私は問題を抱えている」と認めた人のつぎのハードルは、それを自分で解決する責任を引き受けることである。「たしかに、だれか、あるいは何かが悪いのかもしれないが、自分以外のものや人を変えることはできない。私だけが完全にコントロールできるのは私の行動だ。外からの影響や他人の対応を変えたければ、それについて何かをする責任は自分にある。そのためには私の行動と対応を変えるしかない。自分で何かしなければ、他人が自発的に変わるわけがない」と考えることだ。

3　囲いをつくること

危機を自覚し、解決に向けた行動をとる責任を受け入れ、クリニックに足を運べたら、初回カウンセリングは「囲いをつくる」ことに集中できる。問題を特定し、言語化する作業である。危機の渦中にある人がこの作業に失敗すると、自分は完全にだめな人間だと思い込み、すくんでしまう。そこで、つぎの問いが重要になる――今の自分のなかで、すでにうまく機能していて今後も変える必要がなく、保持できるところはどこか？　古いものを捨て、新しいやりかたを採り入れるべきところ、それができるところはどこか？　選択的変化は国家的危機の際の見直し作業にカギとなることを、後にみていく。

4　周囲からの支援

危機を脱した経験があれば、友人や、各種支援団体（癌患者やアルコール・薬物の依存症者などを対象とするものなど）からの物心両面での支援の有用性に気づいたことだろう。身近な物理的支援の例としては、「結婚生活が破綻した人が家を出られるように一時的に寝室を提供する」「危機の真っ只中で問題解決能力が一時的に衰えている人の代わりに思考の整理を手伝う」「職探しを手伝ったり、仲間づきあいを助けたり、保育園を探したり、といった実際的な情報収集」などがある。心理的支援の例としては、「親身になって話に耳を傾ける」「問題をはっきりさせる手助けをする」「一時的に失った希望や自信を回復する手助けをする」といったことがある。

危機療法を受ける患者は、危機解決のために「助けを求める」ことにした人たちである。助けが必要だという認識があるからこそ、クリニックにやってくる。危機に陥っても、クリニックに行かない人もいる。「助けを求める」のが早い人、遅い人、まったくしない人がいるのだ。一人で危機をすっかり解決しようとして、かえって事態をややこしくしてしまう人もいるのだ。クリニック以外に助けを求めた私の経験をお話ししよう。それは、ついに最初の妻が離婚話を切り出し、私がものすごく打ちのめされたときだった。それから数日間、私は親友四人に電話をかけ、自分の胸の内を吐露した。四人とも私の状況を理解し、同情的だった。四人のうち三人は離婚経験者で、残り一人は、問題ある結婚生活を立て直した経験があった。「助けを求める」ことによって離婚の危機を乗り越えることはできなかった。だが、他人との付き合い方を見直す長い道のりの第一歩となり、最終的には幸せな再婚につながった。親友たちと話し合ったおかげで、私は、自分がだめな人間なわけではなく、いつかは彼らのように幸せをつかめるかもしれない、と感じることができた。

5　手本になる人々

周囲からの支援とも関連があるが、周囲の人には危機に対処する手本になるという有用性がある。ここでも、危機を切り抜けた多くの人が認めるように、自分と似たような危機を克服できた人間を知っていれば、それは大きな助けとなる。その人が危機対応に役立つスキルを示していれば、それをまねることができるからだ。そういう手本になる人は、あなたの友人か、どうやって危機を克服できたのかを直接教えてくれる人であるのが理想的だが、直接の知り合いではなく、その人の人生や問題への対処法を読んだり聞いたりしたことしかない人物でも、手本にすることは可能だ。たとえば、ネルソン・マンデラやエレノア・ルーズベルト、ウィンストン・チャーチルと知り合いだという読者はほとんどいないと思う。だが偉人の伝記や自伝からアイデアやひらめきを得て、個人的危機の解決の手本にすることはできる。

6　自我の強さ

心理学者が「自我の強さ《エゴ・ストレングス》」と呼ぶ要素も、危機に対処するうえで重要であり、個人差がある。自我の強さは自信も含む概念だが、もっと幅広い意味がある。たとえば、自分は自分であるという感覚を持ち、目的意識があり、他者へ意思決定や生活を依存せず、自立した自分を誇れることが含まれる。具体的には、感情の激しい揺れに耐え、ストレス下でも集中力を維持し、自由に自己表現し、現実を正確に認識し、健全な決断を下す、といったことができる力が自我の強さには含まれる。これらの特性は互いに関連しており、危機の最中に起こりがちな身のすくむような恐怖を克服し、新しい解決策を探すうえで必須である。自我の強さは、子ども時代に発達しはじめる。とくに、子どもをありのままに受け入れる家庭、親の夢を押しつけず、実年齢より上あるいは下のようにふるまうことを期待されたりしなかった子どもは、健全な自我の強さを発達させる。子どもの欲しがるものを何もかも与えてしまうことも、何もかも取り上げてしまうこともない親に育てられた子どもは、フラストレーションに耐える力を身につける。このような成長過程が危機を乗り切る助けとなる自我の強さになっていく。

7　公正な自己評価

これは自我の強さとも関連性があるのだが、重要なので独立した要因とする。危機に陥った人が適切な選択をするためには、自分の強みと弱みについて、つまり自分のなかのうまく機能している部分と、うまく機能していない部分について、公正な自己評価をすることが重要だ。これは苦痛をともなう作業かもしれない。しかし、これができて初めて、自分の強みを保持しつつ、弱みを新しい対処法でカバーする選択的変化が可能になる。危機を解決するためには公正な自己評価が重要だなどということは、あたりまえすぎていうまでもないと思われるかもしれない。しかし、人が自分を公正にみられない理由は多数ある。

私が一九五九年に直面した危機の際にも、この公正な自己評価が問題のひとつだった。当時の私は、自分の能力のある面を過大評価し、別の面を過小評価していた。過大評価していたのは外国語の能力だ。私は外国語が大好きだったために、同時通訳者の必須能力があると思い違いしていた。しかし、外国語が大好きだから同時通訳者として成功するというわけではないことが、だんだんわかってきた。アメリカで育った私は、一一歳になるまで外国語の会話学習の経験さえなかった。二三歳まで英語圏以外での生活経験もなく、外国語（ドイツ語）会話も流暢《りゅうちょう》ではなかった。外国語を話すようになったのがある程度成長してからだったので、もっとも得意な外国語を話すときでさえ、はっきり米語訛りがある。ある外国語を話している途中ですばやく別の外国語に切り替えられるようになったのは、七〇代後半になってからだ。同時通訳者になっていたら、八歳でネイティブの発音、流暢さ、複数の言語間の切り替えをマスターしたスイスの通訳者と張り合わねばならないところだった。結局、私は認めざるを得なかった——自分が多言語話者としてスイス人と競えるなどと夢見ていたのは、とんだ勘違いだったのだ。

一九五九年に私が苦悩した自己評価のもうひとつの問題は、能力の過大評価ではなく過小評価なのだが、科学研究にかかわる問題だった。私は、デンキウナギの細胞膜を介したイオン輸送を測定するという技術的な難問に直面し、それを解決できなかったことを一般化しすぎてしまった。しかし胆嚢の水分輸送を計測するという課題は、胆嚢の重さを量るという簡単な手法で完全にクリアすることができた。あれから六〇年後の今でも、私は、ごく簡単な手法で科学に取り組む。単純な技術を使って取り組める重要な科学的問題を見出すことを学んだのだ。私は今でも四七個もボタンがある自宅のテレビリモコンを使いこなせないし、最近手に入れたiPhoneでも単純なことしかできないし、コンピュータが必要な仕事はすべて秘書と妻にお任せだ。これまで、手がけたい研究プロジェクト——たとえば上皮細胞における電流波及のケーブル解析や、細胞膜イオンチャネルのノイズ解析、単婚制鳥類の分布の統計解析など——に複雑な技術が必要なこともあった。そんなとき私はいつも幸運なことに、そういう解析が得意で、喜んで私に協力してくれる同僚をみつけることができている。

こうして私は、自分には何ができて何ができないかを、公正に自己評価することを学んだ。

8　過去の危機体験

危機を切り抜けた経験があれば、新たな危機も解決できるという大きな自信につながる。反対に、以前の危機を克服できなかった場合、何をやっても成功しないだろうという無力感が増す。過去の危機体験の重要性は、思春期と青年期の危機が、その後の危機よりトラウマになりやすい、おもな理由である。たとえば、親密な関係の破綻は、いくつになってもつらい経験だが、それが人生で初めての親密な関係であれば、破綻はことさらつらいだろう。二回目からは、以前に似たような苦しみを克服してきたことを思い出して、どんなつらさにも耐えられる。一九五九年の私の危機があれほど深刻だったのは、ひとつにはこれが原因だった。あれは、私にとって初めての、人生を左右する急性の危機だった。それに比べて、一九八〇年頃と二〇〇〇年頃の職業上の危機は痛手にならなかった。結局、私は研究対象を、一九八〇年頃には分子生理学から進化生理学に、二〇〇〇年以降は生理学から地理学に変更した。だが、以前の経験から「そのうちなんとかなる」と思えたので、これらの決断はつらくなかった。

9　忍耐力

自分を変えて危機を克服する際、最初のうちは失敗するだろうし、不確かさや曖昧さもつきものだ。これらを許容する能力、つまり忍耐力もまた、考慮に値する要因となる。新しい対処法をいきなり最初から思いつく確率は低い。さまざまな試行錯誤を経て、危機を解決できて、かつ自分の性格に合うものが最終的にみつけられるものだ。不確かさや失敗に耐えられない人や、解決策の模索を早々に諦めてしまう人が、自分に合った新しい対処法をみつけられる可能性は低い。だからこそ、パリの公園のベンチで父が示してくれたあのやさしい助言（あと半年だけ胆嚢の研究に取り組んではどうかな？）で、救われた気がしたのだ。父の言葉は、忍耐も悪くない選択肢だと思わせてくれた。私だけでは、こう考えられなかった。

10　性格の柔軟性

選択的変化を通じて危機を克服していくうえで、柔軟な性格は、頑固で融通の利かない性格よりも有利である。頑固とは、何ごとにも正しい方法はひとつしかないと考えることだ。当然、そういう考えは、他の方法を探ったり、うまくいかない古いアプローチの代わりに新しいアプローチを試してみようとすることの邪魔になる。頑固さや融通の利かなさは、過去の虐待やトラウマから生じたり、子どもの試行錯誤や家の決まりごと破りを許さないしつけの結果の場合もある。柔軟性は、自分で自由に選択することを許されて育つと伸びる。

私の場合、青年期を過ぎてから柔軟性を身につけた。二六歳のときに開始したニューギニアの熱帯雨林の鳥類研究のおかげである。ニューギニアでは、詳細な事前計画を立てても、そのとおりに進まない。飛行機、船、自動車類は故障・衝突・沈没がよく起きる。地元の人たちや役人は、期待通りには動かないし、命令して動かすこともできない。道路や橋が通行不能だったり、山が地図上とは違うところにあったりと、うまくいかないことを数えあげればきりがない。私のニューギニアでの野外調査は、ほぼいつもこんなふうに進んだ――プランXをたずさえて出発する、ニューギニアに到着する、プランXは不可能と判明する、だから柔軟に対処せざるを得ない。新しいプランを即興で考え出すのだ。その後マリーとのあいだに子どもができると、ニューギニアでの経験が父親になる下準備としてもっとも役に立ったことがわかった。子どもも予測不能であり、命令して何かをやらせることができず、親の側に柔軟な対応を強いるからだ。

11　個人の基本的価値観

最後から二番目に取り上げるのは、基本的価値観と呼ばれる、やはり自我の強さと関連がある要因である。これは、個人のアイデンティティの中核となる信念で、信仰や家族への献身といった、その人の道徳規範や人生観の基盤となる。危機に陥った人は選択的変化をするために線引きが必要になる。自分の基本的価値観で、何があっても譲れない、変えられないものはどれか？「それを変えるくらいなら死んだほうがましだ」と思うのはどの部分か？　たとえば、家族への献身、信仰、正直さはどうしても譲れない、と考える人は多い。たとえ危機を脱するためでも、家族を裏切ること、嘘をつくこと、宗教を捨てること、あるいは盗みをはたらくことを拒否する人がいれば、称賛の的になるだろう。

しかし、危機のときには、かつては絶対の価値観と考えていたものが見直しの対象となり、グレーの部分が生まれる。わかりやすい例でいえば、離婚訴訟を起こした人は、配偶者への一生の愛を見直しの対象にしているわけだ。また、第二次世界大戦中、ナチスの強制収容所に収容された人々は、十戒のひとつ「汝《なんじ》、盗むなかれ」を諦めざるを得なかった。食糧の配給量があまりにも少なく、生き延びるためには食べ物を盗まなければならなかった。強制収容所を生き延びた人の多くは信仰心も失った。収容所内で目にした「悪」が大きすぎて、神の存在を信じられなくなったのだ。アウシュヴィッツ強制収容所から生還した著名なユダヤ系イタリア人作家プリーモ・レーヴィは、後にこう述べている。「アウシュヴィッツでの経験は宗教教育から受け継いだもののすべてを一掃した。アウシュヴィッツが存在する、ゆえに神は存在し得ない。このジレンマの解決法がみつからない」

基本的価値観は、危機の解決を容易にすることも、難しくすることもある。基本的価値観は思考を明晰にして、変える必要のある部分を検討する際の強くて確かな土台となる。他方で、状況変化でそれまでの基本的価値観が的外れになったのが明らかなのに、あくまでそれに固執すれば、危機解決の妨げとなることもある。

12 個人的な制約がないこと

最後に取り上げる要因は、現実的な問題や責任にしばられない選択の自由である。たとえば子育ての責任を負っていたり、非常にきつい仕事をこなさなければならなかったり、身体的な危険にさらされることが多かったりすると、新しい解決法を試してみるのは難しくなる。もちろん、このような制約があっても危機が克服できないわけではないが、余分な負担がかかることは確かだ。一九五九年の私はその意味で幸運だった。科学者としてのキャリア上の決断を迫られ、心は動揺していたが、現実的な制約はなかった。全米科学財団の特別研究員に採用されており、あと数年は授業料と生活費の給付があった。ケンブリッジ大学生理学研究科からは退学を促されてはいないばかりか、試験もなかった。そして、大学をやめろと迫る人もいなかった――自分自身がやめたいと思っていただけだった。

国家的危機

ここで取り上げてきた個人的危機の帰結を左右する要因は、心理療法士たちから直接聞いたり、本や論文で発表されたりしたものだ。それでは、国家的危機の帰結を理解するうえで、表1・1に挙げたこれらの要因はどう活用できるだろうか。

もちろん、国家と個人が異なるのは自明のことだ。国家的危機は、個人的危機では生じない数々の問題（リーダーシップ、集団的意思決定、国家の制度など）を引き起こす。一方で、個人による危機対応の過程が、その人が育まれ生活している国や地方の文化と無関係ではあり得ないのもまた自明だ。広い意味での文化は、個人の特性に大きな影響をおよぼす。個人の行動、目標、現実認識、問題への対処法に大きく影響する。したがって、個人による個人的危機への対処法と、多数の個人の集合体としての国家による国家的危機への対処法のあいだには、いくつかの点で関連性があるのではないかと思われる。たとえば、みずからを受け身で無力な被害者としてみるのではなく、行動を起こす責任を引き受けるという（個人的および国家的）役割。危機を明確に述べること。援助を求めること。手本から学ぶこと。これらは、個人であろうと国家であろうと危機への対処に必要な要因だ。これらのシンプルなルールは明白なのだが、個人も国家も、絶望的なほどしばしばこれらを無視し、拒絶する。

危機対応における国家と個人の類似点と相違点を論じる前に、つぎのような思考実験をしてみよう。世界中から無作為抽出された個人を比較したとする。さまざまな理由――大きく分類すれば、個人的、文化的、地理的、遺伝的――で、それぞれの個人は異なっているはずだ。たとえば、一月のある日の午後に、五人の男性が上半身に身につけているものを比較してみよう。その五人は、北極圏の北方で伝統的な生活をするイヌイット、私が暮らすロサンゼルスの街角にいるふつうのアメリカ人二人、ニューヨークのオフィスで仕事中のアメリカ人の銀行頭取、そして、ニューギニア低地の熱帯雨林で伝統的な生活をするニューギニア島民だ。地理的理由により、イヌイットはフード付きの暖かい毛皮の防寒着を着ているだろう。アメリカ人三人はシャツは着ているが、毛皮の防寒着は着ていないはずだ。ニューギニア島民は上半身に何も身につけていないだろう。文化的理由により、銀行頭取はネクタイをしめているが、ロサンゼルスの街角の二人はノーネクタイだろう。個人的理由により、ロサンゼルスの二人の男性は異なる色のシャツを着ているかもしれない。もし問題が上半身の服装でなく彼らの髪の色だったら、遺伝的理由もかかわってくる。

つぎに、この五人の基本的価値観の違いを比較してみよう。三人のアメリカ人は、それぞれのあいだに個人的な違いはあるかもしれないが、イヌイットやニューギニア島民と比べれば、互いに似た基本的価値観を持っている可能性が高い。そのような基本的価値観の共有は、同じ社会のメンバーが成長する過程で身につける、社会で広く共有された文化的特性の一例である。しかし、異なる社会の人々のあいだでみられる個人の特性の違いは、地理的な理由では部分的にしか説明できないか、あるいはまったく説明できない。たとえば、ロサンゼルスの街角の男性二人のうち一人が仮にアメリカ大統領だったら、アメリカの国策は、文化的に形成された彼の基本的価値観、たとえば個人の権利や責任感に関する価値観から強力な影響を受けるだろう。

この思考実験のポイントは、個人の特性と国家の特性のあいだには、いくつかの点で関連性があると考えられるということだ。なぜなら、個々人は国の文化を共有しており、国家の決定は、つきつめればその国の人々の考え、とくにその国の文化の影響を受けた国家指導者たちの考えによって決まるからだ。本書で取り上げる国々のなかで、危機に際して指導者の考えがとくに重大な影響をおよぼしたのは、チリとインドネシア、そしてドイツである。

さて、表1・2に載せたのは、本書で考察する、国家的危機の帰結にかかわりのある一二の要因である。心理療法士が個人的危機の帰結にかかわると考える表1・1の一二の要因と比べると、類似した要因が多くみつかる。

表1・2　国家的危機の帰結にかかわる要因

1	自国が危機にあるという世論の合意
2	行動を起こすことへの国家としての責任の受容
3	囲いをつくり、解決が必要な国家的問題を明確にすること
4	他の国々からの物質的支援と経済的支援
5	他の国々を問題解決の手本にすること
6	ナショナル・アイデンティティ
7	公正な自国評価
8	国家的危機を経験した歴史
9	国家的失敗への対処
10	状況に応じた国としての柔軟性
11	国家の基本的価値観
12	地政学的制約がないこと

双方の一二の要因のうち、つぎの七つが類似していることは一目でわかる。

要因1　国家も、個人と同様、危機に陥っていることを認める場合もあれば否定する場合もある。ただし、個人的危機は本人自身が認めるかどうかだが、国家的危機の場合は、ある程度の国民的合意が必要となる。

要因2　国家も個人も、問題解決のために、みずから行動を起こす責任を受容することもあれば、自己憐憫に陥り、被害者ぶって他者を責めて、責任を否定することもある。

要因3　国家は制度や政策の選択的変化を実行するために「囲いをつくる」。つまり、変更が必要な制度や政策と、変更が不要で温存すべき制度や政策のあいだに線引きをするのだ。個人もまた、囲いをつくって、自分の特性の一部を選択的に変更し、他の特性は温存する。

要因4　国家も個人も、他の国家や個人から、物質的支援や経済的支援を受ける。国家は受けないが、個人の場合は、さらに心理的支援も受けるかもしれない。

要因5　国家は、他国の制度や政策を手本とすることがある。個人が、他人の危機対処法を手本とするのと同様である。

要因7　個人と同じく、国家も、公正な自国評価ができることもあれば、できないこともある。国家の公正な自国評価は、ある程度の国民的合意が必要となる。個人は自身でそれをおこなうことができる。

要因8　国家には危機を経験した歴史が、個人には過去の個人的危機や国家的危機の記憶がある。

つぎのふたつの要因の場合、対応関係はより一般的で漠然としている。

要因9　「国家的失敗にどのように対処するか」「問題解決のための最初の解決法が失敗したときに他の方法を模索する意欲」は国によって差が出る。たとえば、敗戦への対応をとっても、第一次世界大戦後のドイツ、第二次世界大戦後のドイツ、第二次世界大戦後の日本、ベトナム戦争後のアメリカで、反応はまったく異なる。個人も、個人的失敗に対する耐性、最初の問題解決法の失敗に対する耐性は人によって異なり、その個人的特性はしばしば「忍耐力」と呼ばれる。

要因12　国家の選択の自由はさまざまな制約を受ける。とりわけ大きな原因になるのは、地理的問題、財政的問題、軍事力や政治力である。個人も選択の自由にさまざまな制約を受けるが、理由はまったく異なり、たとえば育児の責任、仕事上の要請、収入などである。

残りの三つの要因については、個人の要因は、国家の要因のメタファーになっている。

要因6　「自我の強さ」と呼ばれる個人の資質は心理学者が定義したもので、それについて書かれた論文や書物も数多くある。これはあくまで個人の資質であり、国家的自我の強さとは呼ばない。しかし、国家にも国家の資質が存在し、これは「ナショナル・アイデンティティ」と呼ばれ、本書でもたびたび論じることになる。ナショナル・アイデンティティが国家に果たす役割は、自我の強さが個人に果たす役割とよく似ている。ナショナル・アイデンティティとは、世界の国々のなかで、その国を独自の存在にしている、言語、文化、歴史の特色であり、国家としての誇りの源であって、国民自身がその共有を自覚しているものである。

要因10　もうひとつ、心理学者が定義し、多くの論文や書物に書かれている資質に、個人の柔軟性と、その反対の頑固さがある。いずれの特徴も個人の性格に深く浸透していて、状況によって変わるものではない。たとえば、友人に絶対に金を貸さない主義だが、それ以外は柔軟に対応する人をさして、頑固な性格だとはいわない。頑固な人は、大半の状況に対して厳格な行動規範を持っている。国家のなかに、これと類似する硬直性を大半の状況で示すものがあるかどうかは、未知数だ。たとえば、日本やドイツに「硬直している」という汚名を着せたがる人がいるかもしれないが、実際には、この二国とも、多くの重要な事柄に対してきわめて柔軟に対応した時期があった。これについては、それぞれ第3章と第6章で詳述する。もしかすると個人の柔軟性と違って、国家の柔軟性は状況に応じて現れるのかもしれない。この点については、エピローグでもう一度論じる。

要因11 最後に残ったのは基本的価値観である。個人には、誠実さ、大志、宗教、家族の絆といった、大切にしている基本的価値観が存在する。国家にも、国家の基本的価値観と呼べるものがある。それらの一部は個人の基本的価値観と重複する（たとえば公正さや宗教など）。また、国家の基本的価値観はナショナル・アイデンティティともつながっているが、このふたつは同じではない。たとえば、ウィリアム・シェイクスピアやアルフレッド・テニスンの残した言葉はイギリスのナショナル・アイデンティティの一部をなしているが、一九四〇年五月という最悪のときでもイギリスがヒトラーとの交渉を拒否したのは、テニスンの言葉によってではない。イギリスは「けっして降伏しない」という基本的価値観によって、交渉を拒否したのだ。

プロローグで述べたとおり、国家的危機では、個人的危機の場合にはまったく生じない、あるいはわずかに類似したものしか生じない問題がある。

- 政治制度や経済制度が国家に果たす重要な役割。
- 危機解決において国家指導者あるいは複数の指導者たちが果たす役割。

●より一般的に、集団的意思決定にかかわる問題。
●国家的危機が選択的変化にいたるのは、平和的解決法か、それとも暴力的解決法か。
●さまざまな国家的変化は、ひとつの統合的な計画のもとで同時並行的に導入されるのか、それとも異なる時期に個別に導入されるのか。
●国家的危機の引き金は、国内の事態の進展か、それとも外国から加えられた衝撃か。
●衝突の後（とくに戦争や大量殺戮を含む危機の後）の和解の問題。衝突は、国内の集団同士の場合もあれば、国家間の場合もある。

これらの問題に取り組むために、次章でフィンランドの事例を取り上げる。フィンランドは他国からの突然の攻撃や攻撃の脅威によって引き起こされた国家的危機の事例ふたつの一番目である。フィンランド語学習の楽しさは私の一九五九年の研究者人生の危機に大きな影響があった。そのフィンランドを通じて、国家的危機の帰結に影響のある要因の多くを明らかにしていく。

第2部

国家――明らかになった危機

第2章　フィンランドの対ソ戦争

フィンランド訪問

北欧・スカンディナビア半島にあるフィンランドは、西はスウェーデン、東はロシアと国境を接する。人口はわずか六〇〇万人だ。第一次世界大戦以前の一九世紀、フィンランドは独立国ではなく、フィンランド大公国というロシア帝国から自治権を認められた従属的な国にすぎなかった。貧しく、他のヨーロッパ諸国からはほとんど注目されず、ヨーロッパ以外からはまったく注目されていなかった。第二次世界大戦開戦当時には独立国となっていたが、相変わらず貧しく、農業と林業が主要産業だった。現在のフィンランドは科学技術力と工業力で世界に知られ、一人あたり平均所得はドイツやスウェーデンと並ぶ最富裕国のひとつである。しかし、フィンランドの国家安全保障は明らかな矛盾のうえに成り立っている。社会民主主義体制をとりながら、数十年にわたりかつてはソ連（共産主義）と、現在はロシア（独裁政権）ときわめて良好な信頼関係を維持している。この組み合わせは選択的変化のみごとな一例といえる。

初めてこの国を訪れ、フィンランド人やその歴史をよく理解したいと思ったら、まず首都ヘルシンキでも最大の共同墓地、ヒエタニエミ墓地を訪れるとよい。アメリカにはワシントン郊外のアーリントン国立墓地など全米に戦歿者《せんぼつ》墓地があるが、フィンランドには軍人墓地はない。フィンランドの戦歿兵士は出身地に連れ帰られ、町の共同墓地や教区墓地に埋葬される。ヒエタニエミ墓地にも非常に広い区画があり、ヘルシンキ出身の兵士たちが埋葬されている。彼らの墓は歴代大統領や政治指導者の墓より少し高い位置にあり、カール・グスタフ・マンネルヘイム元帥（一八六七〜一九五一年）の墓を囲んでいる。

ヒエタニエミ墓地に行く途中、道路標識や看板（口絵2・1）の意味がまったく読み取れないことに気づくだろう。フィンランド以外のヨーロッパのほぼ全部の国では、その国の言葉が理解できなくても類推できる単語がいくつかあるものだ。なぜなら、英語を含むヨーロッパの言語の大多数はインド・ヨーロッパ語族に属しており、語根が共通する単語がたくさんあるからだ。リトアニアやポーランド、アイスランドでも、道路標識や看板の単語のいくつかは類推できる。だがフィンランド語の単語の大多数は、意味の見当もつかない。フィンランド語はインド・ヨーロッパ語族とはまったく関係のない、

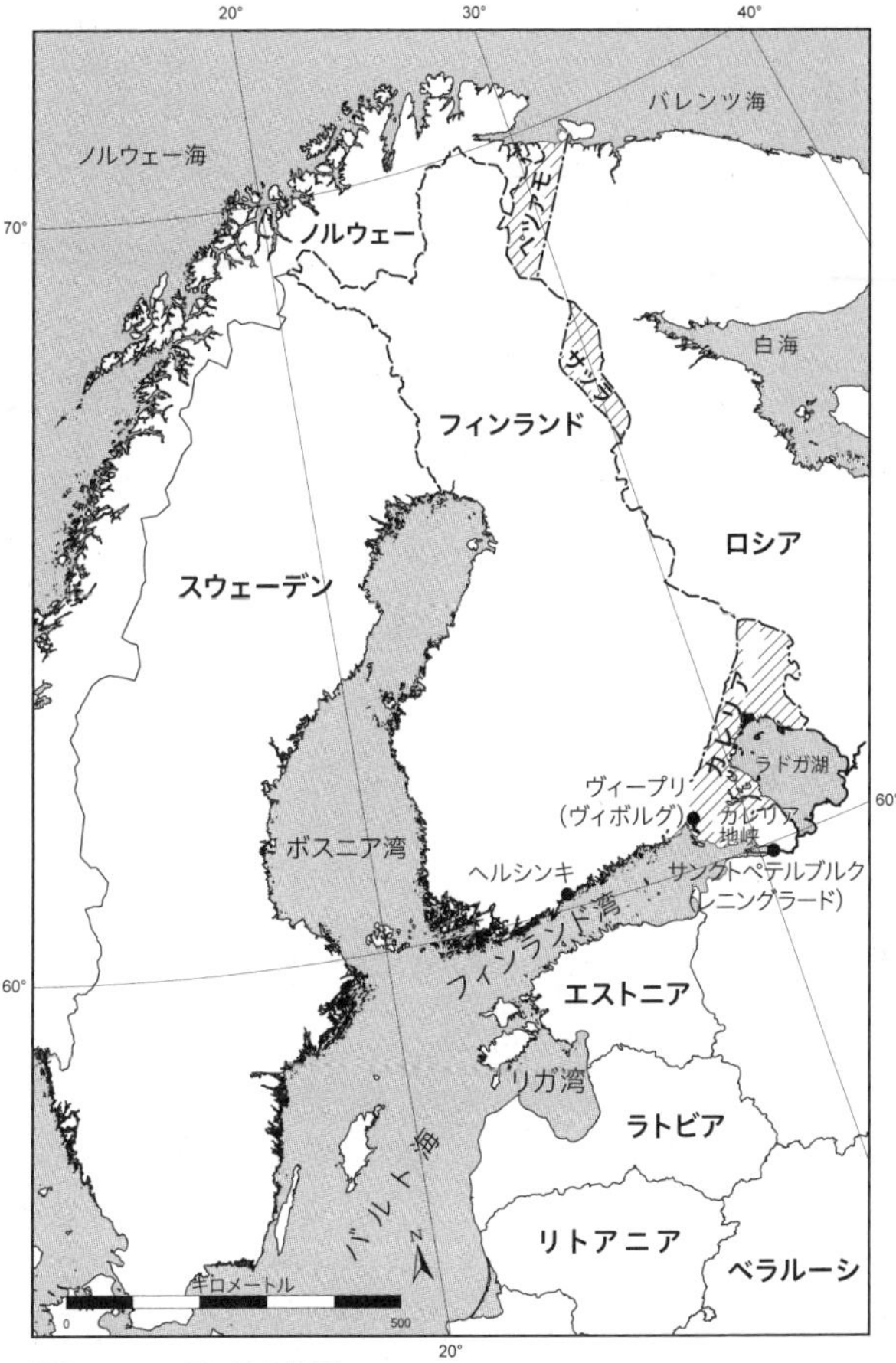

図2　フィンランドの地図

ヨーロッパでは数少ない言語のひとつなのだ。

ヒエタニエミ墓地に到着したあなたがつぎに感銘を受けるのは、墓地のデザインのシンプルさと美しさだろう。フィンランドは世界的に有名な建築家やインテリアデザイナーを輩出している。彼らは、シンプルなやりかたで美しく見せる方法を熟知している。フィンランドでお世話になった方の自宅リビングに初めて招き入れられたとき、私は「こんなに美しい部屋は今まで見たことがない！」と思った。それからなぜあの部屋を美しいと思ったのだろうと考えた。というのも、そこはほとんど何もない小部屋で、シンプルな二、三の家具が配置されているだけだったからだ。しかし、部屋や家具の形や素材には、いかにもフィンランドらしいシンプルさと美しさがあった。

ヒエタニエミ墓地では、慰霊されているフィンランド兵の数の多さに驚くことだろう。私が数えたところ、兵士の名が刻まれた墓碑は三〇〇〇基以上あった。遺体が回収された戦歿兵士の墓が、弧を描いて何列も何列も並んでいる。そこから少し離れたところに、高さ約一・二メートル、長さ数百メートルの壁があり、遺体を回収できず「行方不明」となった兵士の名が刻まれた五五枚のパネルが掲げられている——私が数えたところでは七一五人だった。さらに、名前がいっさい刻まれていない、敵国の捕虜収容所で亡くなった無数のフィンランド兵のための慰霊碑がある。だが、ヒエタニエミに葬られているのはヘルシンキ出身の戦歿者だけだ。フィンランド全国の町の共同墓地や教区墓地には同じような区画があり、戦歿者が埋葬されている。どれほど多くのフィンランド人が戦争で亡くなったのかを、実感できるだろう。

ヒエタニエミの墓碑のあいだを歩いていると、そこに刻まれた言葉にも心を打たれるだろう。フィンランド語だから意味はほとんどわからない。だが、どの国、どの言語でも、墓碑には必ず埋葬されている人の名前と、生まれた年月日と場所、亡くなった年月日と場所が刻まれているものだ。フィンランドの墓碑もこの形式に沿っていることは、簡単に読み取れる。戦歿者の死亡年がすべて、第二次世界大戦中の一九三九年から四四年のあいだであることに気づくだろう。生年でもっとも多いのは一九二〇年代と一九一〇年代であり、戦歿者ということから想像するとおり、大半は二〇代で亡くなっている。だが、五〇代や一〇代で亡くなった兵士もかなり多いことに驚かされる。たとえば、ヨハン・ヴィクトール・パールステンの墓碑には、一八八五年八月四日生まれ、一九四一年八月一五日戦死とある。五六歳の誕生日の一一日後だ。クララ・ラッパライネンは一八八八年七月三〇日生まれ、一九四三年一〇月一九日に五五歳で戦死した。極端に若いのは一九二九年七月二二日生まれのラウリ・マルッティ・ハマライネンで、中学生だったが志願兵として戦い、一九四三年六月一五日に一三歳で戦死している。一四歳の誕生日まであと五週間だった。フィンランドはなぜ二〇代の青年ばかりでなく、五〇代の男女や一〇代の少年まで召集したのだろうか（口絵2・2）。

墓碑の戦死年月日と場所を読んでいくと、日付と場所が集中していることに気づくだろう。もっとも多くの戦歿者が出たのは、一九四〇年二月下旬から三月初旬、一九四一年八月、一九四四年六月、同年八月だ。場所は、ヴィープリが多い。シヴェーリ、カンナス、イハントラなどの地名もあるが、フィンランド人の友人がいれば、それらもヴィープリの近くだと教えてくれるだろう。それを知ったあなたはこう考える。ヴィープリとは、これほど短期間に多くのフィンランド人が命を落とさなければならないほどの重要拠点だったのか？

じつはヴィープリはフィンランド第二の大都市だったのだが、一九三九年から四〇年にかけての冬におこなわれたむごたらしい戦争と、それにつづく一九四一年から四四年にかけての戦争の結果、フィンランドの国土の一割はソ連に割譲され、ヴィープリもその一部としてソ連領になった。一九三九年一〇月、ソ連はバルト海沿岸の四カ国、フィンランド、エストニア、ラトビア、リトアニアにソ連軍駐留と基地建設を認めるよう迫った。ソ連は巨大な軍事力とフィンランドの五〇倍の人口を有していたが、フィンランドだけがこの要求を拒否した。フィンランド人は激しい抵抗を示し、独立維持に成功した。だが、一〇年間につぎつぎと発生した危機によって、国家存亡が大いに不安視される状態がつづいた。先に述べた三つの時期に戦歿者数が頂点に達したことは、墓碑が証拠となっている。一九四〇年二月から三月はソ連軍がヴィープリを包囲したとき、一九四一年八月はフィンランドがヴィープリを奪還したとき、一九四四年夏はソ連軍がふたたびヴィープリに進軍したときである（口絵2・3、2・4）。

フィンランドの対ソ戦争によるフィンランド側の死者数は一〇万人に迫る。大半は男性だ。現代のアメリカ人、日本人、フィンランド人以外のヨーロッパ人は、ほとんど一瞬の爆撃によって、一都市で一〇万人以上の死者が出たことを記憶しているだろう（広島、ハンブルク、東京）。また第二次世界大戦中のソ連と中国の死者数は、それぞれ二〇〇〇万人にのぼった。それに比べて、五年間で一〇万人というフィンランドの死者数は少ないように思うかもしれない。だが当時のフィンランドの総人口三七〇万人の二・五％にあたり、男性に限れば五％である。現在のアメリカでこの割合を当てはめると、九〇〇万人が亡くなったことになり、アメリカ建国以来二四〇年間の全戦争で亡くなったアメリカ人のほぼ一〇倍に相当する。私が最後にヒエタニエミ墓地を訪れたのは、二〇一七年五月一四日の日曜日だった。ヒエタニエミ墓地に葬られた最後の戦歿者は、七〇年以上昔（一九四四年）に亡くなっている。だが、私が訪れたときにも、多くの墓には供えられたばかりの花があり、墓碑のあいだを歩き回る家族連れがいた。私は四人連れの一家と雑談をした。四人のうち四〇代らしき男性が、いちばん年長のようだった。ということは、その一家が参った墓に葬られている兵士は彼の親ではあり得ない。祖父母か曾祖父母のはずだ。私はその男性にいまだにつづけられている墓参りや供花や戦歿者の追悼について感じたことを述べると、彼はこう説明した。「当時のフィンランド人はみな、家族のだれかを失ったんですよ」

私が初めてフィンランドを訪れたのは一九五九年の夏だった。ソ連との継続戦争が終わってまだ一五年しか経っていなかったし、ヘルシンキ郊外のポルッカラ半島が返還され、ソ連軍が撤退したのはわずか四年前のことだった。私が知り合ったのは、対ソ戦争を戦ったフィンランド人の退役軍人、対ソ戦争で配偶者や親を亡くした人、現役のフィンランド軍兵士だった。彼らの人生や、フィンランドの近現代史について詳しく話を聞くうちに、私は素晴らしいフィンランド語を習得した。旅行者として歩き回るのに不自由しないばかりか、この言語がフィンランドの独自性に与える影響を理解できるようにもなったし、前章で述べた私自身の個人的な危機も招いた。フィンランドを訪れる幸運にまだ恵まれていない方のために、この先のフィンランドに関する説明を読む際に心に留めておいていただきたい危機や変化の枠組みがある。それは、フィンランドのナショナル・アイデンティティの強さと源泉、フィンランドの地政学的情勢に対する極度に現実的な自国評価、その結果として生じた本章冒頭で述べたような矛盾をはらむ選択的変化の組み合わせ、フィンランドの選択の自由の欠如と手本にできる成功例の欠如、である。

フィンランド語

フィンランドはスカンディナビア諸国と一体感を抱き、スカンディナビア諸国の一部だと捉えられている。多くのフィンランド人は、スウェーデン人やノルウェー人と同じような金髪碧眼だ。フィンランド人の遺伝子の七五％はスウェーデン人やノルウェー人と同じスカンディナビア半島に由来し、東方系統の遺伝子はわずか二五％だ。しかし、地理的、言語的、文化的に、フィンランド人はスウェーデン人やノルウェー人とは異なっており、その違いを誇りに思っている。地理に関していえば、フィンランド人がよく自国の特徴として使うふたつの言い回しがある。「わが国は小国だ」と「わが国の地理はけっして変化しない」である。後者が意味するのは、フィンランドがロシア（と前身のソ連）と接している国境線はヨーロッパ諸国のどこよりも長い、ということだ。フィンランドは、ロシアとスカンディナビア諸国との事実上の緩衝地帯なのである。

ヨーロッパには一〇〇近い母語が存在するが、バスク語（現存する他言語と系統関係が立証されていない孤立言語）と、四言語を除けば、すべて同じインド・ヨーロッパ語族に属する親類同士の言語だ。その四言語とは、フィンランド語、フィンランド語と密接な関係があるエストニア語、そのふたつとは遠い関係があるハンガリー語とサーミ語であり、すべてウラル語族フィン・ウゴル語派に属する。フィンランド語は美しい言語で、フィンランド人にとって愛国の誇りとアイデンティティの中心でもある。国民的叙事詩『カレワラ』は、フィンランド人の国民意識のなかで、英語話者にとってのシェイクスピア劇よりもはるかに大きな位置を占めている。外国人にとってフィンランド語は、歌のような美しい言語だが、同時に習得が非常に難しい。難易度が高い原因のひとつは語彙にある。なじみ深いインド・ヨーロッパ諸語の語根が見当たらないのだ。だから、フィンランド語の単語は、一つひとつ最初から暗記していくしかない。

　フィンランド語が難しい理由はほかにもある。音と文法だ。フィンランド語には「k」が多い。私の芬英《ふんえい》辞典は二〇〇ページあるが、そのうち三一ページ分が「k」ではじまる単語だ（試しに、次の『カレワラ』の一節を原語で味わってみてほしい。「Kullervo, Kalervon poika, sinisukka äijön lapsi, hivus keltainen, korea, kengän kauto kaunokainen」。別に「k」に恨みがあるわけではないが、悲しいかなフィンランド語には、英語にはない二重子音があり（たとえば「kk」）、これが単一子音（たとえば「k」）とは違う発音になるのだ。フィンランド語でちょっとしたスピーチをする機会が何度かあったのだが、この発音の特徴のせいで私のフィンランド語は、寛容なフィンランド人たちにひどく理解しづらくなってしまうのだ。単一子音と二重子音を明確に発音し分けないと、たいへんなことになる場合がある。たとえば、フィンランド語の

「会う」という動詞は「tapaa」。「p」はひとつだ。ところが「tappaa」と「pp」になると「殺す」という意味になる。だから、フィンランド人に「私と会ってください」と頼みたいときにうっかり「pp」と二重にしてしまうと、あの世行きになる可能性だってあるのだ。

フィンランド語には、短母音、長母音と呼ばれるものもある。たとえば「境界線」を示す「raja」の最初の「a」は短母音だ。だが、「腕」または「脚」を示す「raaja」の最初の「a」は長母音だ。あるフィンランドの国立公園の境界近くにいたとき、その境界について話をしたかった私は間違えて「a」を長く伸ばして発音してしまい、ぜんぜん話が通じないという経験をしたこともある。また、フィンランド語の三つの母音「a」「o」「u」は、発音するときの舌の位置が奥（後舌母音）か前（前舌母音）かで二種類に分かれる。後舌母音と前舌母音の表記はそれぞれ「a」と「ä」、「o」と「ö」、「u」と「y」となる。ひとつの単語内に後舌母音と前舌母音とが混在することはない（母音調和）。たとえば、「河床」という意味の「uoma」は後舌母音しかないが、おやすみなさい、というときに使う「夜」という意味の「yötä」には前舌母音しかない。

また、もしあなたが、格が四つあるドイツ語や六つあるラテン語で頭を悩ませているなら、フィンランド語には一五も格があると聞いて震え上がるだろう。その多くは、英語では前置詞が果たす役割をしている。初めてフィンランドを訪れたときにいちばん楽しかった時間のひとつは、英語を話さないあるフィンランド軍兵士がフィンランド語の六種類の場所格を教えてくれたときだった。私たちはフィンランド語で会話した。まず彼はテーブルを指さし、これは「pöytä」だと説明した。そして身振り手振りを交えて、「pöytä」という名詞の語尾に付ける場所格を教えてくれた。「テーブルの上に」カップがある（「pöydällä」）（母音調和！）。「テーブルのなかに」釘が打ち込まれている（「pöydässä」）。「テーブルの上へ」カップを動かす（「pöydälle」）。「テーブルから」カップを取る（「pöydältä」）。釘を「テーブルへ」打ち込む（「pöytään」）。釘を「テーブルのなかから」抜き取る（「pöydästä」）、という具合だ。

　場所格以外にも、外国人が非常に混乱するのが対格と分格だ。ラテン語とドイツ語にも分格はない。ラテン語とドイツ語では、直接目的語を表すには対格を使う。英語で「ボールを打つ」を表現するときは「I hit the ball」となり、冠詞「the」は変わらない。だがドイツ語の場合は冠詞変化で対格を示す。この場合は冠詞「den」を使い「ich schlage den Ball」となる。ところがフィンランド語では、直接目的語の「全体」に作用をもたらすのか（対格を使う）、直接目的語の「部分」に作用をもたらすのか（分格を使う）を区別する。「ボール全体を打つ」か「ボールの一部分だけを打つ」のかを決めるのはそれほど難しくないかもしれない。だが、直接目的語が抽象名詞の場合、対格を使うべきか分格を使うべきかを見定めるのは難しい。たとえば、「アイデアがある」

（「have an idea」）と言いたいときに、フィンランド語では「アイデアが全体構想として完成している」か、「部分的な思いつき」なのかを区別する必要がある。対格を使うか、分格を使うかがそれで決まるからだ。一九五九年にフィンランドを訪問した際にお世話になった方の一人は、スウェーデン系フィンランド人だった。家庭内ではスウェーデン語だが、フィンランド語も流暢だった。それでも彼はフィンランドの政府機関で働くことができなかった。フィンランドの公務員はフィンランド語とスウェーデン語の試験に両方とも合格しなければ採用されないのだ。友人の話によれば、もし一九五〇年代なら、たったひとつ対格と分格の使い分けを間違えただけで試験に不合格となり、公務員への道は閉ざされたのだという。

これらの特徴によって、フィンランド語は独特で美しく愛国の誇りの源泉となる言語で、フィンランド人以外にほとんど話者がいない言語になっている。フィンランド語はフィンランドのナショナル・アイデンティティの核を成している。そのナショナル・アイデンティティのために数多《あまた》のフィンランド人が進んで対ソ戦争に参加し、命を落とした。

言語以外に、フィンランドのナショナル・アイデンティティの中核的要素として、作曲家、建築家、デザイナー、陸上の長距離走者が挙げられる。フィンランド人作曲家ジャン・シベリウスは二〇世紀が生んだもっとも偉大な作曲家の一人と考えられている。

フィンランド人建築家やインテリアデザイナーも世界中で注目され活躍している（アメリカ人ならセントルイスのゲートウェイ・アーチやワシントンのダレス国際空港、ニューヨークのジョン・F・ケネディ国際空港の第五ターミナルビルなどを思い浮かべるだろう。フィンランド出身の建築家エーロ・サーリネンの作品だ）。第一次世界大戦後、勝利した連合国は数多くの新しい国を誕生させたが、なかでもフィンランドはとりわけ注目を浴びていた。作曲家シベリウスと、「空飛ぶフィンランド人《フライング・フィン》」パーヴォ・ヌルミがいたからだ。ヌルミは、一九二四年のパリ・オリンピックで一五〇〇メートル走をオリンピック新記録で優勝し、わずか一時間後におこなわれた五〇〇〇メートル走もオリンピック新記録で優勝し、二日後のクロスカントリーも優勝し、その翌日の三〇〇〇メートル走も優勝したという、フィンランドでもっとも有名な中長距離走者で世界記録保持者である。彼の一マイル走の世界記録は八年間破られなかった。そういうことで、ヌルミをはじめとするフィンランド人ランナーが「フィンランドを走らせて世界地図に載せた」といわれるようになった。これらの偉業の数々はフィンランド人に自分たちの独自性とナショナル・アイデンティティを自覚させ、圧倒的に勝算のない対ソ戦争に進んで参加する意欲を育てたのである。

一九三九年までのフィンランド

現代フィンランド語の祖語を話していた人々がフィンランドにやってきたのは、数千年前の先史時代だ。有史以降、つまりフィンランドに関するもっとも古い詳細な文献史料が確認できる一一〇〇年前後以降、フィンランドの領有権はスウェーデンとロシアが争ってきた。一八〇九年にロシアが併合する前は、フィンランドはスウェーデンの支配下にあることが多かった。併合後もロシア皇帝はフィンランドに大きな自治権を認めていた。フィンランドは独自の議会、独自の行政府、独自の通貨を持つことを許され、ロシア語使用も強制されなかった。しかし、一八九四年にニコライ二世がロシア皇帝に即位すると、ボブリコフという男をフィンランド総督に任命した。この男は酷薄な性格で、以後ロシアによる統治が圧政的になった（彼は一九〇四年にフィンランド人民族主義者に暗殺された）。そのため、第一次世界大戦の終戦が近づき、一九一七年にボルシェビキによる十月革命（ロシア革命）が勃発すると、フィンランドはロシアからの独立を宣言した。

だがそれは、フィンランド内戦という苦い結果につながっていった。ドイツ帝国で訓練を受けた白衛軍と呼ばれる保守派がドイツ軍の支援を受けながら、社会主義者革命をめざす赤衛軍および駐留ロシア軍と戦った。一九一八年五月、勝利を確実にした白衛軍は、赤衛軍の兵士八〇〇〇人を処刑した。さらに収容所に送られた赤衛軍二万人が飢えや病気で死んだ。一九九四年にルワンダ虐殺が起きるまで、フィンランド内戦は月次でみた犠牲者発生率のいちばん高い内戦だった。このことが新国家に悪影響を与え、分断を生じさせる可能性もあった。だが、迅速に和解が進み、左派の生存者は国政参与権が完全に復権され、一九二六年には左派から首相が誕生した。だが、この内戦の記憶がロシアと共産主義に対するフィンランドの恐怖心を掻き立てたのは確かであり、その恐怖心がソ連に対するその後の姿勢を決定づけることになった。

一九二〇年代から三〇年代にかけてのフィンランドは、ソ連に衣替えしたロシアに恐れを抱きつづけていた。両国のイデオロギーは正反対だ。フィンランドは自由主義、資本主義、民主主義を標榜し、ソ連は抑圧的な共産主義の独裁国家だ。フィンランド人は、最後のロシア皇帝ニコライ二世による圧政を忘れることはなかった。ソ連がふたたびフィンランドを併呑するために、フィンランド人共産主義者を使って政権転覆を企むのではないかと恐れた。一九三〇年代のスターリンの恐怖政治と偏執的な大粛清を懸念しつつ見守った。フィンランドにとってもっとも直接的な心配事は、ソ連がフィンランドとの国境にほど近い、ほとんど人が住んでいない地域に鉄道線路を建設し、空軍基地を置いたことだった。線路のなかにはフィンランド国境にまっすぐ向かい、国境直前の森のなかで突然途切れているものもあった。フィンランドに侵攻しやすくする目的以外には、何の役にも立ちそうもない線路だった。

一九三〇年代、フィンランドは陸軍を強化し、防衛力を高めはじめた。指揮をとったのは、フィンランド内戦で白衛軍を勝利に導いたマンネルヘイム元帥だった。一九三九年の夏、多くのフィンランド人がフィンランドの主要部を守る防衛線「マンネルヘイム線」の建設のための奉仕作業に志願した。この防衛線はカレリア地峡を横断するかたちで築かれた。カレリア地峡は、フィンランド南東部とレニングラード（フィンランドからもっとも近いソ連第二の都市で現在のサンクトペテルブルク）とを隔てている。ヒトラー政権下のドイツが再軍備を進め、ソ連に対して敵対的になっていくと、フィンランドは中立維持に努めた。ソ連を刺激せず、ソ連からの脅威が現実化しないことをひたすら願っていた。一方のソ連は、隣の資本主義国家に猜疑の目を向けていた。フィンランド内戦ではドイツの支援を受けて共産主義者を打ち破ったからだ。

フィンランドにはソ連を警戒するに十分な地理的・歴史的な理由があったが、それはソ連側も同じだった。第二次世界大戦前の国境は、レニングラードから北にわずか五〇キロメートルのところにあったのだ（図2）。一九一八年にはドイツ軍がフィンランド内戦で共産主義者の赤衛軍と戦ったし、フランス軍とイギリス軍も一八五〇年代のクリミア戦争の際にフィンランド湾に侵入して海上封鎖し、サンクトペテルブルクを攻撃してたこともある。また一七〇〇年代には、フランスがサンクトペテルブルク攻撃に備えてヘルシンキ港に巨大要塞を建設したこともある。一九三〇年代末のスターリンは、ヒトラー政権下のドイツへの不安をつのらせていた。それにはきちんとした理由があった。当時、ソ連共産党とナチスは敵意剝き出しのプロパガンダ合戦を繰り広げていた。ヒトラーは『わが闘争』のなかで、ドイツは東方へ領土を拡大すべきだという「東方生存圏」を主張していた。東方にはソ連も含まれる。ヒトラー政権下のドイツは、一九三八年三月にオーストリアを併合し、一九三九年三月にはチェコスロバキアを解体し実質支配した。さらにポーランドを脅かしはじめていた。増大するドイツの脅威に対して、スターリンはポーランド、そしてポーランドと同盟関係にあるフランスとイギリスに防衛協力を申し出た。だがその申し出をポーランドは拒否した。

一九三九年八月、フィンランドと全世界に衝撃が走った。ヒトラーとスターリンが突如としてプロパガンダ合戦をやめ、独ソ不可侵条約に調印したのである。フィンランド人は、この協定には公表されていない密約があり、ドイツとソ連で勢力範囲を配分し、フィンランドがソ連支配下に置かれることをドイツ側は承認しているのではないか、と疑った。その疑念は正しかった。条約締結直後、ドイツはポーランド電撃戦を開始し、その数週間後にはソ連がポーランド東部に侵攻した。当然のことながら、スターリンは可能な限りソ連の国境線を西方へ移動させておき、力を強めつつあるドイツの脅威を未然に防ぎたいと考えていた。

一九三九年一〇月、ソ連はじきにドイツが攻撃をしかけてくるだろうと心配し、さらに国境線をできる限り西方へ移動させておきたいと考えた。独ソ不可侵条約によって当面の安全が確保されたことを受け、ソ連はバルト海沿岸の四つの隣国（リトアニア、ラトビア、エストニアのバルト三国とフィンランド）に最後通牒を出した。バルト三国に出した要求は、三国の領土内にソ連の軍事基地を建設することと、ソ連軍が領土内を自由に通行する権利だった。ソ連軍の駐留を認めれば自国がまったく無防備になってしまうのは明らかだったが、三国はあまりにも小さく抵抗は絶望的だと判断してソ連の要求を呑み、一九四〇年六月のソ連によるバルト三国併合も回避できなかった。この成功に後押しされたソ連は、一九三九年一〇月初め、フィンランドに二点の要求を突きつけた。ひとつは、カレリア地峡のソ連とフィンランドとの国境線を、レニングラードから遠く離れた位置にまでフィンランド側に動かすこと。レニングラードが爆撃されたり、容易に占領されないようにするためだった（たとえば、一九一八年のフィンランド内戦のときのように、ドイツ軍がフィンランド国内に再駐留すればソ連にとっては脅威となる）。フィンランドがソ連に攻撃をしかける危険性はまったくなかったが、ヨーロッパのいずれかの大国がフィンランドを通り抜けて攻撃してくる現実的脅威があった。ふたつめのソ連の要求は、首都ヘルシンキ近郊のフィンランド南部沿岸にソ連海軍の基地建設を認め、フィンランド湾に浮かぶいくつかの小さな島をソ連に割譲せよ、というものだった。

フィンランドとソ連のあいだで、一九三九年一〇月から一一月にかけて秘密交渉が重ねられた。フィンランド側は多少の譲歩は仕方ないと考えていたが、ソ連側の要求とは乖離《かいり》があった。マンネルヘイム元帥はフィンランド陸軍の脆弱さを知悉し、さらにロシア帝国陸軍中将だった経験から、ソ連側の視点に立って、ソ連の要求の地政学的理由も理解していたため、フィンランド政府により大幅な譲歩をするように強く求めた。だが、フィンランド政界のありとあらゆる党派が――左派、右派、内戦では敵同士だった赤衛も白衛も――さらなる譲歩はできないという点で一致していた。全政党が、政府がソ連の要求を拒否することに賛成した。同時期の一九四〇年七月、イギリスの政治指導者の一部が和平達成のためにヒトラーへ歩み寄るべきだとすら考えていたのとは対照的だ。

フィンランドが挙国一致で譲歩を拒絶した理由のひとつは、フィンランド併合こそスターリンの真の目的ではないかと恐れていたからだ。穏当にみえるソ連の今次の要求を呑めば、これから先にソ連がより重大な要求をしてきた際にも拒絶できなくなると考えたのだ。カレリア地峡をソ連に手渡せば、ソ連は陸路でフィンランドに侵攻するのが簡単になるし、ヘルシンキ近郊にソ連の海軍基地の建設を認めれば、ソ連は海と陸の両方からヘルシンキを爆撃できる。フィンランドはチェコスロバキアの悲運から教訓を得ていた。一九三八年、ドイツから圧力をかけられたチェコスロバキアは、ドイツと国境を接していたズデーテン地方を割譲させられ、最強の防衛線を失った。そして一九三九年三月にはドイツがチェコスロバキアを併合したが、それに対抗する手段はなかった。

フィンランドが譲歩を拒否したふたつめの理由は、スターリンの恫喝をはったりで、要求の一部の実現でも満足するだろうと誤算していたことにある。同様にスターリンも、フィンランドは虚勢を張っているだけだ、と誤算していた。小国が五〇倍以上の人口を抱える国と戦うなど常軌を逸しており、スターリンには想像もできなかった。ソ連軍の戦争計画では、ヘルシンキ占領は戦争開始から二週間以内とされていた。フィンランドが譲歩を拒否した三つめの理由は、伝統的な友好国から国土防衛への支援が得られると誤算していたことにある。さらに、フィンランドの政治指導者たちのなかには、ソ連が開戦したとしても、フィンランド陸軍が六カ月間は持ちこたえると考える者もいた。対してマンネルヘイム元帥は、そんなことは不可能だと進言していた。

一九三九年一一月三〇日、ソ連はフィンランド攻撃を開始した。その数日前にフィンランドがソ連の国境沿いの村を砲撃し、ソ連軍兵士が死亡した、というのがソ連が主張する開戦理由だった（後年フルシチョフは、この砲撃はソ連軍によるものだと認め、戦争誘発を目的としてソ連軍将軍が命令を下したと述べた）。こうしてはじまったのが冬戦争である。ソ連陸軍はありとあらゆる地点から国境を越えて侵攻し、ヘルシンキなどのフィンランドの都市は空爆された。空爆初日のフィンランドの非戦闘員犠牲者数は、五年におよぶ第二次世界大戦中の同国の非戦闘員犠牲者数の一割を占めている。ソ連軍が国境地帯のフィンランドの町を占領すると、スターリンは即座に傀儡《かいらい》政権「フィンランド民主共和国」を樹立させ、フィンランド人の共産主義指導者オットー・クーシネンを首班に据えた。ソ連にはフィンランドを侵略する意図はなく、「フィンランド民主共和国」の防衛を支援しているのだと主張するためだった。この傀儡政権の樹立によって、スターリンの真の目的は祖国を併呑することであると、フィンランド全国民が確信した。

冬戦争

一九三九年一一月三〇日の開戦時、両国にはとてつもない戦力差があった。ソ連は人口一億七〇〇〇万。フィンランドは三七〇万人。ソ連軍が投入したのはわずか四個軍、五〇万人のみだった。それ以外の兵力は他の軍事作戦のために温存していた。一方のフィンランドは全軍を挙げて防衛にあたったが、兵力は九個師団、一二万人しかいなかった。ソ連は、進撃する歩兵を、何千両もの戦車や近代的な戦闘機、近代的な砲兵隊で掩護《えんご》した。フィンランドには戦車は一両もなく、近代的な戦闘機も、近代的な砲兵隊も、対戦車砲も、対空火器もほぼないに等しかった。フィンランド軍には性能の良いライフルや機関銃があったのだが、最悪なことに弾薬保有量が非常に少なかった。兵士たちは、弾薬を節約するように命令され、ソ連兵が至近距離に来るまで撃つなといわれていた。

スターリンが本気で勝利するつもりなら、この戦力差でフィンランドがソ連を打ち負かす可能性はゼロだ。ポーランドはフィンランドの一〇倍の人口があり、近代兵器の保有量でもはるかに上回っていたが、ソ連軍の半分の規模のドイツ軍によって数週間のうちに打ち負かされてしまった。フィンランド人も、自分たちが勝利できると思うほど世事に疎いわけではなかった。そのときのことを、私のフィンランド人の友人がこう説明している。「私たちはフィンランドの勝利ではなく、ソ連の勝利を遅らせて、できるだけ苦しめて犠牲を最大化することを目標にしていた」。とくにフィンランドが狙ったのは持久戦に持ち込むことで、その間に友好国の軍事支援を取り付け、スターリンを犠牲の多さと戦費負担でうんざりさせることだった。

ソ連も全世界も驚いたことに、フィンランドの防衛線は持ちこたえた。ソ連は、フィンランドと国境を接するすべての箇所で攻撃をしかける作戦だった。カレリア地峡を横切るマンネルヘイム線を攻撃すること、フィンランドの国土の東西幅がもっとも狭くなる地点で「フィンランドを胴切り」に南北に分断するという計画も含まれていた。マンネルヘイム線を攻めたてるソ連の戦車に対して、対戦車砲がまったく足りなかったフィンランド軍は「モロトフ・カクテル」を考案して、対抗した。ガソリンと化学薬品を詰めた火炎瓶で、戦車の戦闘能力を奪うのに十分な威力があった。また、蛸壺壕《たこつぼごう》に身を潜めてソ連の戦車を待ち伏せし、キャタピラに丸太を突っ込んで足止めするという戦法もあった。命知らずのフィンランド兵士は、動きのとれなくなったその戦車に駆け寄り、砲身や外部視認用の小窓にライフルの銃口を当て、なかのソ連兵を撃つのだ。当然の結果ながら、フィンランドの対戦車戦兵士の戦死率は七〇％に達した。

フィンランドを擁護していた他国の人々がとくに称賛した戦果は、「フィンランドを胴切り」にしてきたソ連軍の二個師団を壊滅させたことだった。ソ連軍はフィンランドにつづく数本の道路上に展開し、軍用車や戦車を進軍させた。一方、少人数の小隊に分かれたフィンランド軍兵士は、スキーを履き、白い戦闘服を身に着け、道なき森林を抜け、ソ連軍の隊列を切り崩し、一つひとつ殲滅《せんめつ》していったのだ（口絵2・5）。一九五九年、私はこの真冬の戦闘に参加したフィンランド人の退役軍人から、当時の戦術について詳しく教えてもらった。ソ連兵は夜になると、森のなかの細い一本道の林道に縦一列に車両を停め、大きな焚き火をおこしてその周りに集まり暖をとった（フィンランド兵は、テントに小さなストーブを持ち込んでいたので、夜でも暖かかったし、外から視認できなかった）。白い戦闘服を身に着けた友人たちの小隊はスキーで森を抜け、ソ連軍の車列を射程距離に収めるところまで接近する（口絵2・6）。そしてライフルを担いだまま近くの木に登り、ソ連軍士官の姿が焚き火に照らし出されるのを待ち、撃ち殺し、スキーで離脱する。指揮官を失ったソ連兵はおびえあがり、戦闘意欲をなくしたそうだ。

兵士数や装備で圧倒的に勝るソ連軍に対して、なぜフィンランド軍はこれほど長いあいだ優位に戦いを進められたのか？　ひとつめの理由は戦闘意欲だった。フィンランド兵たちは、家族と祖国と国家独立のための戦争だとよく理解していたし、そのために一命を捧げる覚悟ができていた。たとえば、ソ連軍が凍結したフィンランド湾を進軍してきたとき、フィンランド軍の守備隊は湾内の島々に分かれて駐屯していたごく少数の兵士だけで、しかも援軍なしの決死戦だと告げられていた。とにかく島に留まり、できるだけたくさんのソ連兵を殺せ、と命じられた彼らは、そのとおり実行した。ふたつめの理由は、フィンランド兵が、冬のフィンランドの森のなかで生活することや、スキーで移動することに慣れていたこと、そして戦地の地形をよく知っていたことである。三つめの理由は、フィンランド軍がフィンランドの冬に適した耐寒着、スノーブーツ、冬用テント、銃を持っていたのに対し、ソ連兵にはそうした装備がなかったことである。最後の理由は、フィンランド陸軍は現代のイスラエル陸軍と似て、きわめて練度が高かったことである。彼らは形式張らず、上からの命令に盲従するのではなく、兵士一人ひとりのイニシアチブと現場の判断を重視していた。

だが、フィンランド軍の粘り強さによる一時的な勝利も、単なる時間稼ぎにしかならなかった。春が来て雪と氷が融ければ、ソ連軍は軍事力の優位性を存分に活かしてカレリア地峡を横切り、フィンランド湾を渡って進撃してくるはずだ。フィンランドの望みは、義勇兵や装備品や援軍といった、他国からの支援にかかっていた。外交の最前線では、いったい何が起こっていたのだろうか？

小国フィンランドがソ連という巨大な侵略者相手に勇敢に抗戦していることへの同情が広まると、一万二〇〇〇人の外国人義勇兵が、おもにスウェーデンからやってきた。しかし、その大半は軍事訓練を修了する前に戦争が終わってしまった。いくつかの国からは武器などの装備品の支援があったが、玉石混淆《ぎょくせきこんこう》だった。たとえば、あるフィンランド人退役軍人によると、イタリアから送られてきたのは第一次世界大戦以前から使われていた年代物の大砲だったそうだ。砲弾を発射するたびに反動で砲身が大きく後座するので、頑丈な砲架に据え付ける必要があった。また、大砲一門に砲手一人だけでなく、弾着地点を視認し、次の砲撃の際の照準を修正するために前進観測員が必要だ。ところが、友人の退役軍人によると、そのイタリアの古い大砲は、反動を吸収する機構があまりにもおそまつだったので、観測員が二人ずつ必要だったという。一人は、前方で弾着を確認する通常の前進観測員。さらにもう一人、砲身の後方に立ち、砲身が落ちた地点を確認する観測員が必要だったというのだ！

現実的にフィンランドがまとまった数の援軍や装備品支援を期待できそうな国は、スウェーデン、ドイツ、イギリス、フランス、アメリカだけだった。隣国スウェーデンは歴史的にも文化的にも密接な関係があったが、ソ連との戦争に巻き込まれることを恐れて援軍を送らなかった。ドイツはフィンランド内戦時に部隊を派遣したことがあったし、昔から文化的な強い結びつきのある友好国だったが、ヒトラーはフィンランドを支援することで独ソ不可侵条約を破りたくはなかった。アメリカは遠かったし、何十年ものあいだつづいてきた孤立主義政策を受けて制定された中立法が、ルーズベルト大統領の手かせとなっていた。

この状況下で現実的な支援が期待できるのは、イギリスとフランスしかなく、最終的には両国とも地上軍の派遣を申し出る。だが、イギリスもフランスもすでにドイツと戦争をはじめており、両国政府はその対応で手一杯で、対独勝利という目標に少しでも差し障りが出るようなことはしたくなかった。当時ドイツは、鉄鉱石の多くを中立国スウェーデンから輸入していた。スウェーデンから輸出される鉄鉱石の大部分は、ノルウェー国内を鉄道輸送され、ノルウェーの不凍港ナルヴィクからドイツに船で運ばれていた。イギリスとフランスの真の狙いは、スウェーデンにある鉄鉱石の採掘地を確保し、ナルヴィクからドイツに向かう船舶の航行を妨害することだった。英仏は地上軍を中立国のスウェーデンとノルウェー経由でフィンランドに送ると提案してきたが、それはこの真の目的を達成するための口実にすぎなかった。

イギリスとフランスの提案は、数万人規模の地上軍を派遣するものの、大部分はノルウェーのナルヴィク港、港とスウェーデン間の鉄道路線、またスウェーデンの鉄鉱山に配備し、実際にフィンランド領内に送られる部隊はほんの少数だという。もちろん、イギリス軍とフランス軍の駐留にはノルウェーとスウェーデンの了承が必要だ。そして中立を守る両国は、それを拒絶した。

冬戦争の終結

壊滅的損害を出した一二月の軍事的敗北の教訓をソ連首脳が理解しはじめたのは、一九四〇年一月になってからだ。スターリンはフィンランドの共産主義指導者クーシネンを首班に据えた傀儡政権「フィンランド民主共和国」を一九三九年一二月にみずから樹立していたのだが、一九四〇年一月にはソ連との結びつきを否定するようになった。つまりスターリンは、和平を打診してきた本来のフィンランド政府を黙殺するのをやめたのである。ソ連は消耗戦になった「胴切り」作戦をやめて、すべての戦力をカレリア地峡に集中させた。ここはソ連軍に有利な、見通しのきく広々とした地形である。フィンランド兵は二カ月間ずっと前線で戦いつづけてきて疲弊していたが、ソ連には新たに投入できる予備兵力が無尽蔵にあった。二月初旬、ソ連軍がついにマンネルヘイム線を突破し、フィンランド軍は、はるかに脆弱な防衛線まで退却を余儀なくされた。マンネルヘイムは鋼の精神の持ち主で、配下の将官全員がもっと守りに優れた後方にさらに退却すべきだと訴えたが、それを退けた。フィンランド軍は戦歿者の激増で苦しんでいたにもかかわらず、である。彼は、和平交渉が不可避であり、フィンランドが確保している領土の多さが交渉の行方を決めることを知っていた。

一九四〇年二月末、消耗しきったフィンランドは、いつでも和平交渉に臨む気になっていた。だがイギリスとフランスは、フィンランドにもっと粘るよう要請する。フランスの首相ダラディエはフィンランドに至急電報を打ち、三月末までには五万人の地上軍を派遣する用意があり、爆撃機一〇〇機もいつでも発進可能な状態であり、さらに地上軍が陸路ノルウェーとスウェーデンを通過できるよう自分が必ず「手配」すると請け合った。この言葉を頼りに、フィンランドはもう一週間戦いつづけ、さらに数千人のフィンランド人が命を落とした。

数千人が亡くなった後で、イギリスはダラディエの提案が口先だけの嘘だと明かした。彼の提示した地上軍も爆撃機も準備されておらず、ノルウェーとスウェーデンは地上軍の陸路通過をまだ拒否しつづけていて、フランスの提案は、単に連合国側が狙う目標を実現に近づけるため、そしてダラディエ本人の体面を保つためのものだった、という。そこでフィンランドは、首相を団長とする代表団をモスクワに派遣し、和平交渉をはじめることにする。その間にもソ連はフィンランドに対する軍事的圧力をゆるめず、フィンランド第二の都市、カレリア地方のヴィープリに向けて進軍をつづけていた。ヒエタニエミ墓地におびただしい数の「ヴィープリ、一九四〇年二月、三月」と刻まれた墓碑があったのは、この戦いのせいだ。

一九四〇年三月にソ連が出した講和条件は、一九三九年一〇月にフィンランドが拒否した要求よりもさらに厳しいものだった。今回ソ連は、カレリア地方全体、フィンランド北部にある国境沿いの領土の割譲、ヘルシンキ近郊の港湾都市ハンコをソ連の海軍基地として使うことを要求してきた。ソ連に占領されることになったカレリアの人々はみな、家を捨てて避難することを選んだ。フィンランド全人口の一〇%にあたる人々が、フィンランド国内の他の地方に移り住んだ。一九四五年にはほぼすべての避難民に住宅が供給されたが、それまでは知り合いの家に間借りをするなどして窮屈な生活を強いられた。他のヨーロッパ諸国では住居を失った人が大量に出た場合、たいてい避難民キャンプが設置されるのだが、それをしなかったフィンランドは非常に特異だった。一九年後、私がお世話になったフィンランド人たちは、カレリアから避難してきた人たちのための住居をみつけて、その暮らしを支えていくことの苦労をよく覚えていた。

なぜ一九四〇年三月のスターリンは、フィンランド全土を占領すべく進軍をつづけよとソ連軍に命じなかったのだろう？　ひとつの理由は、それまでのフィンランド人の熾《し》烈な抵抗によって、さらなる進軍には時間がかかり、ソ連側の苦痛と犠牲が大きいことが明白になったからである。このときソ連は、もっと大きな問題に頭を悩ませていた――ドイツからの攻撃に備えるための軍再編と軍備見直しである。巨大なソビエト陸軍が小さなフィンランド陸軍相手に手こずったことは、ソ連の面目を丸つぶれにした。フィンランド人死者一人あたりソ連兵約八人が死んでいる。フィンランドとの戦争が長引けば、イギリスやフランスが介入してくる危険性も高まり、介入となれば両国との戦争は避けられない。そうすればきっと、イギリスやフランスは、コーカサス地方にあるソ連の油田地帯に攻撃をしかけてくるだろう。一部の研究者は、一九四〇年三月の講和条件が厳しいことを引きながら、フィンランドは一九三九年一〇月のもっとゆるやかなスターリンの要求を呑むべきだったと書いている。しかし、一九九〇年代に開示されたロシアの公文書は、フィンランド人が戦時中に抱いていた疑念が正しかったことを裏付けている。ソ連は、一九三九年一〇月の要求でわずかな領土拡張を獲得し、結果的にフィンランドの防衛戦を破り、一九四〇年にバルト三国でおこなったようにフィンランド全土を占領する意図があったというのだ。だが、フィンランド人の激しい抵抗、死を恐れない戦闘意欲、長期化する戦争、ソ連兵の犠牲の大きさが、一九四〇年三月にフィンランド全土を征服しようというソ連の意図を挫《くじ》いたのである。

継続戦争

一九四〇年三月の停戦後、ソ連は軍を再編し、バルト三国を併合した。ドイツは、一九四〇年四月、ノルウェーとデンマークを占領し、六月にはフランスを破った。これにより、ドイツ以外にフィンランドには頼る国がなくなってしまった。フィンランドは陸軍を再建したが、とくに頼みにしたのがドイツ製の装備だった。

翌一九四一年、ヒトラーは対ソ開戦を決意し、ドイツとフィンランドの参謀本部が「仮想」の対ソ合同軍事作戦について検討しはじめる。フィンランド人はヒトラーやナチズムに共感していたわけではないが、独ソ戦が開戦すれば中立ではいられないという残酷な現実を十分理解していた。中立を選択すれば、ドイツとソ連のどちらか、あるいは両方がフィンランドを征服しようとするだろう。冬戦争で、たった一国だけでソ連と戦わざるを得なかったという苦い経験をしたフィンランド人には、同じことをふたたび経験する可能性よりは、ナチスドイツと同盟を結ぶほうがまだましに思われた。当時の心境を述べたマンネルヘイムの言葉を引用しよう――「ろくでもない選択肢のなかから、もっともひどくないものを選んだ」（スティーヴン・ザロガが書いたマンネルヘイムの伝記より）。冬戦争でのソ連のひどい戦いを観戦していた者はみな――フィンランド人ばかりでなく、ドイツ人やイギリス人、アメリカ人も含めて――独ソ戦争はドイツの勝利で終わるだろうと確信していた。当然のことながら、フィンランド人は、奪われたカレリア地方を取り戻したいとも考えていた。一九四一年六月二二日、ついにドイツはソ連を攻撃した。フィンランドは中立を宣言したが、六月二五日、ソ連軍がフィンランドの複数の都市を空爆したため、フィンランド政府はその晩のうちにソ連に対してふたたび宣戦布告する。

ソ連との二度目の戦いは、最初の冬戦争につづいておこなわれたので、継続戦争と呼ばれている。今回フィンランドは、全人口の六分の一を動員した。彼らは、兵士として戦うか、軍関連の仕事をした。第二次世界大戦中の動員率としては、世界最高だった。現代のアメリカに置き換えれば、徴兵制を復活させ、五〇〇〇万人超の陸軍を編制したようなものだ。兵役に就いたのは一六歳から五〇代前半までの男性だが、前線近くで戦う女性もいた。性別に関係なく、軍務に就かない一五歳から六四歳までのすべての人が軍需産業、農業、林業など防衛上必要とされる職場で働かなければならなかった。一〇代の子どもたちも、畑や製材所で働いたり、対空防御の任務に就いたりした。

ソ連軍は対独戦に集中していたため、フィンランド人はすぐにカレリア地方でもともとフィンランド領だった地域を取り戻し、さらに元の国境を越えて（これは議論を呼ぶところだが）、ソ連領カレリアにまで侵入した。だがフィンランドの戦争目標は非常に限定的だったし、フィンランドはナチスドイツの「同盟国」ではなく単なる「共戦国」だとしていた。とくに、ドイツがフィンランドに求めたふたつの要請は頑として拒否した。ひとつめは、フィンランドにいるユダヤ人の一斉検挙（フィンランド系ではないユダヤ人は少数ながらゲシュタポに引き渡した）、ふたつめはドイツがレニングラードを南から攻撃しているときに、同時に北から攻撃すること、である。ふたつめの要請をフィンランドが拒否したことで、レニングラードはドイツによる長い包囲戦を生き延びることができた。このフィンランドの行動は、後にスターリンが、カレリア地方以外のフィンランド領に侵攻する必要はない、と判断する要因となった（詳細は後述）。

それでもなお、フィンランドがナチスドイツと共に戦っているという事実には変わりがない。フィンランドの国情を理解していない外部の人間は、「同盟国」と「共戦国」の違いなど気にしていなかった。第二次世界大戦中のアメリカで子ども時代を過ごした私は、フィンランドは、ドイツ、イタリア、日本と並ぶ四番目の枢軸国だと思っていた。イギリスがフィンランドに宣戦布告をしたのは、スターリンの強い要請があったためだ。とはいえイギリスがおこなったのは、フィンランドの都市トゥルクへの空爆が一度だけで、しかもイギリス軍のパイロットたちはトゥルクの市街地を爆撃せず、意図的に爆弾を沖合に落として帰投した。

一九四一年一二月初旬以降、フィンランド軍は進軍を止めた。それからほぼ三年間、継続戦争ではソ連とフィンランドのあいだに何も起こらなかった。フィンランドの戦争目標はカレリア地方奪還だけだったし、一方のソ連軍は対独戦で忙しく、フィンランドとの戦争に部隊を回す余裕がなかったのである。ソ連領内からドイツ軍を追い出す見込みが立ったところで、ようやくソ連はフィンランドに目を向けた。一九四四年六月、ソ連は、カレリア地峡で大規模な軍事作戦を開始した。ソ連軍の部隊はすぐにマンネルヘイム線を突破したが、フィンランド軍は前線での戦況を膠着させることに成功する（一九四一年二月と同じだ）。ソ連軍の進撃の勢いはやがて失われていった。理由のひとつは、スターリンが、西から進撃してくる米英軍よりも先に、東からソ連軍をベルリンに到達させることに戦力を割くことにしたからである。また、冬戦争の場合と同じジレンマも理由の一部であった。さらなるフィンランド人の抵抗を抑え込み、森のなかでフィンランド軍が展開するゲリラ戦に対応するために払う犠牲が大きすぎるうえ、ソ連がフィンランド全土を征服したところで、何がしたいのかもまだ決まっていなかった。そういうわけで、一九四四年の対ソ戦も、一九四一年と同様に、フィンランドは現実的な目標を達成した。それは、私のフィンランド人の友人の言葉を借りれば、「フィンランドの勝利ではなく、ソ連の勝利を遅らせて、できるだけ苦しめて、犠牲を最大化すること」だった。結果としてフィンランドは、第二次世界大戦に参戦したヨーロッパ大陸諸国のなかで唯一、敵国に全土を占領されなかった。

一九四四年七月、戦線がふたたび落ち着くと、フィンランドの指導者たちは講和を進め、休戦協定に調印するためにまたもやモスクワに飛んだ。ソ連側の領土要求は一九四一年のときとほとんど変わらなかった。ソ連はカレリア地方とフィンランド南部沿岸の軍港をふたたび取り返した。これに加え、北極海沿岸の港とニッケル鉱山を新たに手に入れた。フィンランドは、フィンランド軍みずからが北部の駐留ドイツ軍二〇万人を追放することにも同意した。追放作戦遂行を口実に、ソ連軍がフィンランドに侵攻してくるのを防ぐためだ。ドイツ軍を完全追放するまでには何カ月もかかった。ドイツ軍は焦土作戦をとり、ラップランド地方全体で破壊の限りを尽くした。私が一九五九年にフィンランドを訪れたとき、私をもてなしてくれたフィンランドの人々は、かつての共戦国だったドイツがフィンランドを攻撃し、ラップランドを荒廃させたことへの怒りがいまだに収まっていなかった。

対ソ戦の冬戦争と継続戦争（および直後に起きた対独戦）では、およそ一〇万人のフィンランド人が亡くなった。当時のフィンランドの総人口に占める死者数の割合を、現代アメリカに当てはめると、九〇〇万人のアメリカ人が戦争で亡くなったことになる。さらに九万四〇〇〇人のフィンランド人が身体障害を負い、三万人のフィンランド人女性が戦争未亡人になり、五五〇〇人の子どもたちが両親を亡くして戦争孤児となり、六一万五〇〇〇人が住む家を失った。現代アメリカに換算すると、ひとつの戦争で八〇〇万人が身体障害を負い、二五〇万人の女性が戦争未亡人なり、五〇万人の子どもが戦争孤児になり、五〇〇〇万人が住む家を失ったことになる。さらに、史上最大規模の子どもの集団疎開で、八万人のフィンランドの子どもたちが疎開した（おもな行き先はスウェーデンだった）。この経験は子どもたちに長期にわたるトラウマを残し、影響は次世代にまで受け継がれている（口絵2・7）。子どものときに集団疎開を経験したフィンランド人の母親から生まれた女性は、疎開をしなかった母親から生まれた女性と比べて、精神疾患で入院する確率が二倍も高いのだ。だが、これらの戦争では、ソ連の被害のほうがはるかに大きかった。推計の戦歿者数は五〇万人、戦傷者数は二五万人にのぼる。この死者数には、フィンランドで捕虜になっていたソ連兵五〇〇〇人も含まれている。捕虜たちは休戦協定調印後にソ連へ送還されたが、ソ連到着直後に、敵に降伏したという理由で銃殺された。

モスクワ休戦協定では、「連合国と協力し、戦争犯罪人を逮捕すること」がフィンランドに求められた。連合国側の解釈では、「フィンランドの戦犯」とは、対ソ戦中に政府の要職にあった人々だった。もしフィンランド自身で自国の指導者を訴追しなければ、ソ連が乗り出してきて、量刑は死刑を含む重いものになっていただろう。そのためフィンランドは、他の状況下では恥ずべき行為としかいわれないようなことを実行せざるを得なくなった。事後法をつくり、当時のフィンランドでは合法で多くの人々に支持されていた防衛政策を、政府指導者が採用したことは違法であったと断じたのである。フィンランドの裁判所は、戦時政府の大統領だったリュティ、首相だったランゲルとリンコミエス、外務大臣を含む五人の戦時政府の大臣、そして駐ベルリン大使を禁錮刑に処した。だが彼らは、快適な専用の刑務所に収監され、釈放後は選挙や任命を経てふたたび公職についた。

モスクワ休戦協定では、多額の賠償金をソ連に支払うことも求められた。六年間で三億ドル分の物資だ。その後、ソ連は支払期限を八年に延長し、総額も二億二六〇〇万ドルに減額したが、それでも工業化の進んでいない小国フィンランドの経済にはたいへんな重荷だった。しかし、逆説的だが、この賠償金が経済への刺激剤となり、造船や輸出品の製造といったフィンランドの重化学工業を発達させた（この賠償金には「あぶないこと」と「機会」を組み合わせた漢字「危機」の本来の意味がよく表れている）。このときの工業化が、戦後フィンランドの経済成長を後押しし、同国はかつての貧しい農業国から、近代的工業国に生まれ変わり、現在はハイテク産業中心の国にまでなった。

賠償金のほかにも、フィンランドはソ連とのバーター貿易を強制された。フィンランドの総貿易額の二〇％はソ連とのバーター貿易だった。ソ連から輸入したのはおもに石油で、これによりフィンランドは他の西側諸国のように石油を中東の産油国に依存しなくて済むようになり、ソ連産石油はフィンランドを利する結果となった。だが石油の他にも、機関車、原子力発電所、自動車などもソ連製の粗悪品を輸入せざるを得ず、安くて高品質な西側諸国の工業製品は輸入できなかった。フィンランド人は、前述の骨董品のようなイタリアの大砲のときと同じように、ブラックユーモアで溜飲を下げた。たとえば、私が一九五九年に訪れたときには、多くのフィンランド人がとても故障が多いモスクヴィッチ社製自動車を所有していた。ヨーロッパ車やアメリカ車には、サンルーフ付きのモデルがあり、晴天時には陽光を楽しめる。そこでフィンランドではこんなジョークが流行《はや》った。モスクヴィッチが出す最新型にはサンルーフじゃなくて、サンフロアーも装備されるぞ、と。自動車の床面がスライド式で開けられるというのだ。では、サンフロアーは何のための機能か？　モスクヴィッチが壊れたら、サンフロアーから足を出して立ち上がり、車に乗ったまま人力で押していける、すごい機能！

一九四五年以降のフィンランド

フィンランドの人々は、一九四五年から四八年を「危うい年」と呼ぶ。フィンランドが成功裏に生き延びたことを知っている現在から振り返れば、奇妙に聞こえるかもしれない。だが当時は、この国に幸せな将来があるかどうかわからなかった。もっとも大きな不安は、ソ連が支援する国内の共産主義者が、政権転覆を謀るのではないかというものだった。一九四五年三月におこなわれた議会選挙では共産党と共闘する諸政党が四分の一の議席を獲得した。国家存亡をかけて共産主義のソ連と戦った民主主義国家としては、矛盾した選挙結果だ。この共産主義者らは警察権力を握ろうと画策する。すでに東ドイツを占領していたソ連は、東欧四カ国（ポーランド、ハンガリー、ブルガリア、ルーマニア）で共産党による政府転覆工作を進めている途中だった。ソ連の工作により、チェコスロバキアではクーデターが成功し、ギリシャでは共産党ゲリラによる内戦を起こし、失敗に終わった。つぎはフィンランドだろうか？　また、ソ連への賠償金は、まだ工業化が進展しておらず、主要産業が農業だったフィンランド経済にとっては重い負担だった。戦争でフィンランドの主要インフラは破壊されていた。農地は荒廃し、工場設備は故障したまま、輸送船の三分の二が破壊され、老朽化したトラックには交換部品がなく、ガソリンがないので木炭車に換装されていた。故郷を追われたカレリアの人々、身体障害を負った人々、戦争孤児、戦争未亡人といった何十万人もが、無事に暮らすフィンランド人家庭に、住む家や精神的支えといった援助を求めていた。スウェーデンに疎開していた何万人もの子どもたちは、トラウマを抱えたまま帰国しつつあった。長期にわたる外国での疎開生活で、フィンランド語を忘れ、親のこともほとんど忘れてしまっていた。

この「危うい年」のあいだに、フィンランドはソ連による国家乗っ取りを回避するための新たな戦後政策を考え出した。その政策は、考案者であり、象徴的存在であり、三五年間にわたり厳密に実践してきた二人のフィンランド大統領の名を冠して「パーシキヴィ＝ケッコネン路線」と呼ばれる（ユホ・パーシキヴィは大統領在任一九四六〜五六年、ウルホ・ケッコネンは大統領在任一九五六〜八一年）。パーシキヴィ＝ケッコネン路線は、ソ連を無視するという、フィンランドに厄災をもたらした一九三〇年代の政策を一八〇度転換した。パーシキヴィとケッコネンはその誤りから学んだのだ。彼らはつぎのような厳しい根本的な現実を、フィンランドが認めざるを得ないと考えていた。フィンランドが弱小国であること。西側諸国からは支援が期待できないこと。ソ連の思考を理解し、つねに意識しなければならないこと。最高幹部から末端まで、あらゆる階層のソ連の官僚と対話を絶やしてはいけないこと。フィンランドが約束を守り、合意を実行する姿勢を示すことでソ連の信頼を得て、それを維持しなければならないこと。そしてソ連からの信頼を維持するには、あらゆる努力をしなければならない。脅威のない民主主義の強国なら絶対に譲れないと考える国家の権利――経済的自立や言論の自由など――を部分的に犠牲にする必要があった。

パーシキヴィとケッコネンは、ソ連とその国民を非常によく理解していた――パーシキヴィは冬戦争と継続戦争の講和交渉担当者として、一九三九年一〇月、一九四〇年三月、一九四四年九月にソ連との交渉にあたり、さらに駐モスクワ大使も務めている。パーシキヴィは、スターリンの対フィンランド関係の基本思想は、イデオロギーではなく地政学的な戦略だと判断する。つまり、ソ連第二の都市（レニングラード）を再度フィンランドやフィンランド湾側から攻撃されたら、どう防衛すべきなのかという軍事的な問題である。ソ連がフィンランドからの脅威を感じない限り、フィンランドも安全だ。しかし、ソ連が安全でないと感じている限り、フィンランドの安全はあり得ない。さらに、世界中どこであっても紛争が起これればソ連は不安を感じ、フィンランドに何か要求を突きつけてきかねない。だからフィンランドは、世界平和のために積極的に活動しなければならない。パーシキヴィと、後継のケッコネンは、そのようにして、最初はスターリン、つづいてフルシチョフ、ブレジネフとの信頼関係の醸成に成功してきた。他の東欧諸国と同様に、フィンランド共産党を権力の座につけないのかと訊《たず》ねられたスターリンは、こう答えたという。「パーシキヴィがいるのに、フィンランド共産党がどうして必要なのかね？」

ケッコネン大統領が自身の政治活動について書いた自伝のなかに、パーシキヴィ＝ケッコネン路線について説明した文章がある。「フィンランド外交に託された第一の課題は、わが国の存立と、わが国の地政学的環境を支配する利害関係との折り合いをうまくつけることである……〔フィンランドの対外政策は〕予防外交だ。予防外交でやるべきことは、危険が間近にくる前に察知し、危険を回避する対策を講じることである――望ましいのは、対策が講じられたこと自体が察知されない方法だ……とくに、自国の姿勢が趨勢を変えられるなどという幻想を抱いていない小国にとっては、軍事分野や政治分野での事態の展開を左右する要素を、早めに正確に把握することが非常に重要だ……国家は他国をあてにしてはいけない。戦争という高い代償を払って、フィンランドはそれを学んだ……この経験から、小国には外交問題の解決にさまざまな感情――好きとか嫌いとか――を混ぜ込む余裕はつゆほどもないことも学んだ。現実的な外交政策は、国益と国家間の力関係という国際政治の必須要素に対する認識に基づいて決定されるべきである」

フィンランドがパーシキヴィ＝ケッコネン路線に固執したことで得られた成果は、この七〇年間、ソ連が（そして現在はロシアが）フィンランドに対して何をしたか、何をしなかったかに具体的に現れている。ソ連はフィンランドに侵攻しなかった。今は解散してしまったフィンランド共産党による政権奪取を画策しなかった。フィンランドがソ連に支払っていた賠償金を減額し、支払期限を延期した。一九五五年、ヘルシンキからわずか三〇キロメートルのところにあるポルッカラ半島と沿岸砲を返還し、海軍基地から撤退した。フィンランドが西側との貿易額を増やしソ連との貿易を減らしていくこと、そして欧州経済共同体（EEC）と自由貿易協定を結び、欧州自由貿易連合（EFTA）に加盟することを黙認した。これらのことの大部分は、それをするか、しないか、あるいはやめさせるかを決定する権限がソ連にはあった。もしソ連がフィンランドや、その指導者たちを信頼しておらず、安心感を持っていなければ、ソ連はこのような態度をとらなかっただろう。

綱渡り外交

フィンランドでは、西側との関係を進展させつつ、ソ連からの信頼を維持するという綱渡り外交が常態化していた。一九四四年の継続戦争直後にソ連からの信頼を確立するために、フィンランドは、モスクワ休戦協定と講和条約（パリ条約）の諸条件を即座に呑んだ。フィンランド国内の駐留ドイツ軍を追放し、戦時政府の指導者を戦犯裁判にかけ、フィンランド共産党を合法化して政権入りさせつつ国家転覆は阻止し、国民に宝飾品や金の指輪を供出させてまで賠償金をソ連に支払った。

西側との関係拡大によって、フィンランドが経済的に西側に統合されるのではないかというソ連の根深い疑念を少しでも払拭するために、フィンランドはさまざまな努力をした。たとえば、アメリカが提案したマーシャル・プランによる援助は、とても必要なものだが拒否したほうが賢明だとフィンランドは判断した。また、ＥＥＣやＥＦＴＡといった西側の機構と協定を結んだり加盟したりするのと同時に、東欧の共産主義諸国とも協定を結んだ。ソ連には最恵国待遇を保証し、EEC加盟国と同じ貿易上の優遇措置を約束した。

フィンランドの主要貿易相手国が西側諸国になる頃には、ソ連にとってフィンランドが西側の貿易相手国第二位となっていた（第一位は西ドイツ）。西側物資をソ連が輸入する際には、フィンランド国内を通過させてコンテナ輸送するのがもっとも一般的なルートだった。フィンランド自身がソ連に輸出したのは、船舶、砕氷船、消費財、建設資材全般（病院、ホテル、工業地域向け）だった。ソ連にとって、フィンランドは西側諸国の科学技術を収集するための最大拠点であり、西側に向けて開かれた最大の窓であった。結果として、ソ連にはフィンランドを併合する理由がなくなった。フィンランドをソ連領にしたり共産主義衛星国にしたりするよりも、独立国として西側諸国とつながってくれていたほうが、はるかに利用価値があったからだ。

パーシキヴィとケッコネンがソ連指導者の信頼を勝ち得ていたので、フィンランドは、他の民主主義国のように頻繁に大統領を変えないことにした。二人は合計で三五年間にわたり大統領を務めた。パーシキヴィは八六歳で亡くなる直前まで一〇年間、そのあとを継いだケッコネンは、八一歳で健康上の理由で引退を余儀なくされるまで二五年間大統領の職にあった。EECと交渉中だった一九七三年、ケッコネンはブレジネフを訪ね、フィンランドがEECと自由貿易協定を結んでも両国関係には影響しないと個人的に確約し、ブレジネフの懸念を和らげた。その後、フィンランド議会は時限立法を可決してケッコネンの大統領任期を四年延長し、ブレジネフとの約束を実行に移すことを可能にした（本来であれば一九七四年に大統領選が予定されていた）。

フィンランドでは、政府も報道機関もソ連批判を控え、通常の民主国家ではあり得ないような自己検閲をおこなっていた。たとえば、ソ連がハンガリーやチェコスロバキアを占領したときやアフガニスタンとの戦争をはじめたとき、他国はこぞってソ連を非難したが、フィンランドの政府とマスコミは沈黙を守った。フィンランドのある出版社は、ソ連の逆鱗《げきりん》に触れることを恐れ、ソルジェニーツィンの小説『収容所群島』の出版計画を中止した。だがフィンランドのマスコミがソ連の機嫌を損ねたことがないわけではない。一九七一年、フィンランドのある新聞社が、ソ連は一九三九年にバルト三国を占領した、と（ありのままに）書いた。するとソ連の新聞が、フィンランドとソ連の友好関係を損なおうとするブルジョアの企みだ、と記事を糾弾した。ソ連の外相も、今後フィンランド政府がこのような事態を防止することを求める、と警告を発した。フィンランド政府は、より「責任ある」報道をするよう国内のマスコミ各社に要請せざるを得なかった。「責任ある」とは、ソ連の気分を害するかもしれないことを書かないように自己検閲しろ、という意味だ。

フィンランドの綱渡り外交は、ソ連から国の独立を守り、経済発展を遂げるというふたつの目標を実現した。この点でも、小国フィンランドはさまざまな現実と向き合わざるを得なかったし、今後もそうだろう。現在、フィンランドには人口が六〇〇万しかない。フィンランドは、ドイツ（人口九〇〇〇万）やアメリカ（人口三億二〇〇〇万）と同じような規模の経済の恩恵を得ることは絶対にない。また、ヨーロッパや北米以外の地域ではいまだに主流になっている、低い生活水準を前提として労働者の賃金を低く抑えた経済モデルで、フィンランドが成功することもあり得ない。世界標準と比べると、フィンランドの労働者は今後もずっと絶対数が少なく、高賃金を期待するだろう。そのためフィンランドは、利用可能な労働力を最大限に活用し、利益率の高い産業を発展させる必要がある。

国民を有効活用し、生産性を高めるために、フィンランドの学校制度は、全員に良い教育を授けることを目標としている。ほんの一部にだけ良い教育を提供し、大多数には低質な教育を授けるというアメリカの教育システムとはまったく異なる。フィンランドでは、公立学校で平等に良質な教育を受けることができ、私立学校の数はごくわずかだ。アメリカ人富裕層からみると驚きだが、私立学校も公立学校と同水準の公費援助を受けている。また、授業料や入学金を取ったり寄付金を集めたりして運営資金を増やすことも許されていないのだ！　アメリカでは教員の社会的地位は低く、学生時代の成績が下位だった者が就くことが多い。一方、フィンランドでは教員採用の競争が非常に激しく、もっとも優秀な学生が教員になる。社会的地位は高く(大学教授よりも上だ!)、給与も高く、全員が大学院の学位を持っており、教授法についても大きな裁量が認められている。これが国際的な学習到達度調査において、フィンランドの生徒たちが読解力、数学的リテラシー、科学的リテラシーで世界トップクラスに入るという結果につながっている。フィンランドでは男性を最大限に活用するだけでなく、女性も最大限に活用している。女性参政権が認められたのは世界で二番目(最初に認めたのはニュージーランド)。女性大統領だったときに、たまたまフィンランドを訪れたこともある。警察も非常に優秀だ。アメリカ人には驚きだが、フィンランドでは学士号がなければ警官になれないし、国民の九六%が警察を信頼しているという。また警官が拳銃を使用することはほとんどない。昨年一年間でフィンランドの警察官が職務中に発砲したのは、たったの六発だ。そのうちの五発は威嚇射撃だった。私が住んでいるロサンゼルスの場合、一週間でその数を超えてしまう。

このような教育の重視は、生産性の高い労働力を生み出す。全人口に占めるエンジニアの割合は、世界でもっとも高い。フィンランドは科学技術で世界をリードしている。輸出がGDP(国内総生産)のほぼ半分を占めており、おもな輸出品はハイテク製品、重機、工業製品である――もはや、第二次世界大戦前のような木材などの林産品ではない。フィンランドは、森林を利用した新しいハイテク製品の開発では世界の先頭に立っている。バイオマス発電、肥料、羊毛に代わる木質繊維、銅に代わる炭素繊維などだ。ちなみにギターも有力な産品のひとつだ。官民のR&D（研究開発）投資は対GDP比で三・五％だ。これは他のEU諸国の二倍近くあり、教育投資の対GDP比と同様に世界トップクラスである。すばらしい教育制度と研究開発への多額の投資の結果、たった半世紀で、フィンランドは貧困国から、世界有数の富裕国へと変貌した。現在、国民一人あたり平均所得は、フランス、ドイツ、イギリスと肩を並べている。これら三カ国は昔から富裕国だったし、フィンランドの一〇倍もの人口を抱えている。

フィンランド化

一九五九年にフィンランドを訪れたとき、私は過去二度にわたる対ソ戦争の歴史について無知だった。お世話になったフィンランドの人々に、なぜフィンランドはソ連に追従するのか、なぜ粗悪なモスクヴィッチ製自動車を輸入するのか、なぜソ連から侵略される可能性をそれほど恐れるのか、と質問した。私は「もしソ連が攻撃してきたら、間違いなくアメリカがフィンランドを守りますよ」と彼らにいった。今振り返ると、私が口にしたことほど、フィンランドの人の心をひどく傷つける、無知で無神経な言葉はなかったと思う。フィンランド人には一九三九年の苦い記憶がある。ソ連侵攻に対して、アメリカもスウェーデンも、ドイツも、イギリスも、フランスも、フィンランドを助けようとはしなかった。フィンランドはその歴史から、国家存亡や独立の危機において、頼みにできるのは自国だけだということ、そして世界が安全なのは、ソ連が安全だと考え、フィンランドを信用しているあいだだけだということを学んだのだ。

私のような無知な態度は、知識があるはずの非フィンランド人にも共通しており、彼らはフィンランドの政策を軽蔑して「フィンランド化」と呼んだ。一九七九年のニューヨーク・タイムズ紙は「フィンランド化」をこう定義している。「全体主義的な超大国の勢力と無慈悲な政治に恐れをなした近隣の弱小国が、浅ましくも主権国家としての自由を譲り渡すという、みっともない状況」。フィンランド化を公然と非難する人々は、フィンランドの政策は腰抜けの政策であると考えている。

フィンランドがおこなったことの多くが実際、西側諸国の専門家を震撼させるのは事実だ。ソ連の逆鱗に触れないために、大統領選挙が延期されたり、大統領候補が出馬を取り下げたり、出版社が書籍刊行を中止したり、報道機関が自己検閲をしたり、などということは、アメリカやドイツでは絶対に起こり得ない。そういう方策は、民主国家の権利である行動の自由を侵害しているようにみえる。

だが、他国の機微というのは、どの国にとっても重要な問題だ。ケッコネン大統領の言葉をまた引用しよう。「国家の独立というものは、必ずしも絶対的なものではない……歴史の必然に屈しなかった国家はひとつとして存在しない」。フィンランドに、アメリカやドイツよりも多くの「歴史の必然」があった理由は明らかだ。フィンランドは小国でロシアと国境を接している。アメリカやドイツは大国で、さらにロシアのような大国と国境を接していない。フィンランド化を公然と非難する人々には、フィンランドがとるべきだった代案があるのだろうか？　ソ連の反発を考慮に入れずに行動して、ふたたびソ連に侵攻される危険を冒せとでもいうのだろうか？

フィンランド化を批判する非フィンランド人は、共産主義のソ連が彼らの国を騙してフィンランドと同じように服従させるのではないかという不安を抱いていた。だが、アメリカや西欧など他の西側諸国は地政学的にまったく異なる位置にあり、フィンランドのような地政学的な問題に対処する必要がない。ケッコネンの「フィンランド化は輸出品ではない」という言葉は、フィンランドの政策を端的に擁護している。

実際、フィンランドの対ソ外交政策は、当然のことながら複雑に入り組んだものだった。そして最終的に、第二次世界大戦の終戦後七〇年経っても、フィンランドがソ連（あるいは現在のロシア）の衛星国家になりそうな気配はまったくない。それどころか、ロシアとの良い関係を維持しつつ、着実に西側との絆を深めることに成功してきた。同時に、フィンランド人は人生の不確実性を知っている。そのため、今でも男性には兵役義務があり、女性は志願者が兵役に就ける。兵役に就くと、最長で一年間の厳しい軍事訓練がつづく。実戦で使える兵士が求められているからだ。軍事訓練を修了すると兵は五〇歳まで、下士官以上は六〇歳まで予備役に組み込まれ、数年に一度再訓練のために召集される。フィンランドの人口の一五%が予備役であり、アメリカなら五〇〇〇万人の予備役がいる計算になる。

危機の枠組み

フィンランドの最近の歴史をみながら、国家的危機の帰結とかかわりがあると仮定した一二の要因（表1・2）を、個人的危機の帰結にかかわりのある要因（表1・1）と照らし合わせて、評価してみよう。強大な隣国からの脅威というフィンランドの根本的な問題を解決するにあたり、一二の要因のうち七つは有利にはたらき、ひとつは当初解決を妨げていたが最終的には有利にはたらいた。三つの要因はフィンランドに存在せず、それが解決を妨げた。

国家的危機の帰結にかかわる要因のうち、フィンランドではっきり認められる七つとは、責任の受容（要因2）、囲いをつくること（要因3）、強固なナショナル・アイデンティティ（要因6）、公正な自国評価（要因7）、国家的失敗への対処（要因9）、柔軟性（要因10）、国家の基本的価値観（要因11）だ。まず、本書で取り上げた国のうち、フィンランドは、責任の受容と、極度に現実的で公正な自国評価の点で際立っている。とくに、自国評価は非常につらい体験だった。フィンランド人の多くが、ソ連軍によって殺されたり、戦争未亡人にされたり、戦争孤児にされたり、住む家を壊されたりした。フィンランドはソ連との外交関係を麻痺させるような、自己憐憫や恨みに陥らないようにしなければならなかった。そして最後には、つぎのような現実を認識した。フィンランドは小国である。ソ連との国境線が長い。実効性ある支援を友好国から期待できない。自国の存立は自分で守る責務がある。フィンランドには短期間ならソ連に抵抗できる軍事力があり、ソ連の勝利を遅らせて、できるだけ苦しめて犠牲を最大化することはできるが、永遠に対ソ戦を戦うことはできない。フィンランド人は、対ソ戦前の外交政策の間違いから学んだのだ。ソ連から信頼を獲得し、経済的独立と言論の自由を一部犠牲にする以外に、政治的独立を維持する方法はない、という事実を最終的には正視した。

フィンランドは、選択的変化と囲いづくり（要因3）の好例である。継続戦争の終結（一九四四年九月）以降、フィンランドはソ連を相手にせず無視するという、それまでの政策を転換した。彼らが新たに採用した政策は、ソ連との経済関係を築き、頻繁に政治対話を持つというものだった。これらはきわめて選択的な変更だ。フィンランドはソ連に占領されたわけでも、政治的独立を諦めたわけでも、自由民主主義を捨てたわけでもないからだ。対ソ関係は改め、それ以外の社会制度は以前と変わらないというのは、一見矛盾するふたつのアイデンティティが共存しているようにみえる。この共存に非フィンランド人は困惑し、腹を立て、軽蔑的な「フィンランド化」という言葉を生み出した。これにはフィンランドには別のやりかたがあったはずだし、それを選ぶべきだったという意味が込められている。

フィンランドのナショナル・アイデンティティは、並外れて強固である（要因6）――この国にあまりなじみがなく、典型的な北欧の小国だと思っている人の予想をはるかに上まわる強力さだ。フィンランドのナショナル・アイデンティティと自国の独自性への信念は、美しいが特異で難しく外国人が学ぼうとも思わないフィンランド語と、一八世紀まで口伝だった叙事詩『カレワラ』と、帝政ロシアの支配下にありながら長くつづいてきた自治の歴史から生まれている。フィンランドには自治政府と独自の通貨と議会があった。これら以外にも、世界的に有名な音楽家、スポーツ選手、建築家、デザイナーがいたことも、フィンランドのナショナル・アイデンティティの形成に貢献している。現在では、フィンランドの軍隊が冬戦争で達成した偉業を誇る気持ちも、ナショナル・アイデンティティに大きな影響をおよぼしている。フィンランド人にとって、第二次世界大戦は誇らしい記憶である。そのような国民は他にはイギリス人しかいない。二〇一七年におこなわれたフィンランド独立一〇〇周年の記念行事でも、一九一七年の独立と同じか、あるいはそれ以上に第二次世界大戦の偉業に焦点があてられていた。アメリカなら独立記念日（七月四日）の記念式典で、一七七六年の独立宣言よりも第二次世界大戦の勝利を称えるようなものだ。

フィンランドからは、最初の試みが失敗しても苦にせずに、危機対処法がみつかるまで何度でも新しい試みを実行する意欲（要因9）もみてとれる。一九三九年一〇月にソ連が要求を突きつけたときには、最終的にソ連と結ぶことになる経済的・政治的関係を提案しなかった。たとえその当時、そのような提案をフィンランドがしたとしても、スターリンは拒絶していただろう。スターリンがフィンランドを独立させたままにしておこうと思うようになるには、冬戦争におけるフィンランドの熾烈な抵抗が必要だったのだ。ソ連を無視するという戦前の政策と、軍事的に問題を解決しようという戦時の政策の誤りに気づいた一九四四年以降、長年にわたりフィンランドは恒常的に政策的な実験を繰り返し、どのくらいの経済的・政治的独立を維持できるのか、見返りとして何をすればソ連が満足するかを探りつづけてきた。

フィンランドは、必要に迫られた柔軟性（要因10）も示している。ソ連側の不安や機微に合わせて、他の民主主義国家が考えもしないようなことをやってきた。事後法をつくり、戦時指導者を戦犯裁判にかけて、刑務所に入れた。議会は時限立法で大統領選を延期させた。有力な大統領選の対立候補者を説得して、立候補を思いとどまらせた。報道機関は自己検閲をして、ソ連が気分を害する可能性のある記事を掲載しないようにした。他の民主主義国家は、これらを恥ずべき行為と断ずるだろう。だがフィンランドの場合、これらの措置には柔軟性が現れている。民主主義の諸原則をやみくもに神聖視せず、もっとも重要な原則である政治的独立の維持に必要な範囲で、他の原則を犠牲にしている。もう一度、ザロガによるマンネルヘイムの伝記を引用しよう。フィンランド人は「ろくでもない選択肢のなかから、もっともひどくないもの」を選んで交渉する能力に秀でているのだ。

フィンランドの歴史をみると、彼らが絶対に譲れない国家の基本的価値観――国家独立、強国に占領されない――に信をおいていることがよくわかる（要因11）。フィンランド人はこの基本的価値観のために戦う用意があり、大量の死者が出る可能性も容認していた。フィンランド人は幸運にも生き延び、独立を守ることができた。だが、この苦渋に満ちたジレンマに対して、いかなる状況でも適合する正解は存在しない。たとえば、一九三九年のポーランドはドイツの要求を退けた。一九四一年のユーゴスラビアはドイツの要求を、一九五六年のハンガリーはソ連の要求を退けた。いずれの国も大国からの要求を退け、フィンランドと同じく独立を守るために戦ったが、フィンランドのように幸運な結果は得られなかった。三国はすべて戦いに負け、それによって占領がつづいたり新たに占領されたりし、他国の容赦のない支配に苦しめられた。反対に、一九三八年のチェコスロバキアはドイツの最後通牒を受け入れた。一九三九年のエストニア、ラトビア、リトアニアはソ連の最後通牒を、一九四五年の日本はアメリカの最後通牒を受け入れた。それらの国は、自分たちが軍事的にどうしようもない状況にあると判断したからだ。今振り返ってみれば、チェコスロバキアとエストニアの状況はそれほど悲観的ではなかったようにも思われるが、最後通牒を受け入れなかったらどうなっていたかは永遠の謎である。

当初はフィンランドの危機解決の妨げとなったが、最後にはそれを助けたのは、危機に関する国民的合意だ（要因1）。一九三〇年代、ソ連をめぐる危機が差し迫っていたが、フィンランドはそれを無視し、一九三九年のスターリンの要求をはったりだと誤算してしまった。だが一九四四年以降、パーシキヴィ＝ケッコネン路線によって、フィンランド政府は頻繁にソ連指導者と政治対話を重ね、ソ連の視点を学ばなければならない、という国民的合意ができあがっていった。

国家的危機の解決に役立つ三つの要因はフィンランドに明らかに欠けており、それを補うためにフィンランドは別の方策を考えねばならなかった。欠けていたのは、同盟国からの支援（要因4）、手本として利用できる先例（要因5）、地政学的制約がないこと（要因12）である。本書で取り上げたなかでは、フィンランドほど友好国からの支援がなかった国はない。フィンランドの伝統的友好国も、盟友となる可能性があった国も、冬戦争中にフィンランドが要望していた実質的な支援を提供しなかった（スウェーデンからは小規模な、民間による支援があった。約八〇〇〇人が義勇兵としてフィンランドに渡り、フィンランドの子どもたちの集団疎開を受け入れた。またドイツは、継続戦争の際に重要な軍事・経済援助を提供した)。またフィンランドが手本にできるような、ソ連やナチスの要求を拒むことに成功した小国はなかった。ヨーロッパのほぼすべての国が、そのような要求を受け入れて独立を失うか(バルト三国)、抵抗するが容赦なく征服されるか(ポーランドやユーゴスラビア)、抵抗し、フィンランドよりもはるかに強大な自国の軍事力で要求を退けることに成功するか(これができたのはイギリスだけ)、ソ連がフィンランドに求めたよりもはるかにゆるやかな要求を呑んで独立を維持するか(ナチスドイツに便宜を図ったスイスとスウェーデン)、だった。逆に、フィンランドのソ連相手の綱渡り外交を手本にできる国もない(「フィンランド化は輸出品ではない」)。隣の強国ソ連との国境線が長いという地政学的制約があるため、フィンランドが自由に選べる選択肢はきわめて限られていた。強国による制約のせいで自由にふるまえなかったという点でフィンランドに近かったのは、第二次世界大戦後のドイツぐらいだ。

国家的危機に特有で、個人的危機には起こらない問題がいくつかあるが、そのうちフィンランドのケースによく表れているものがふたつある。国家指導者が果たす役割と、争いの後の和解の問題である。第二次世界大戦中から戦後にかけて、軍と政界の指導者の巧みな舵取りはフィンランドを大きく利した。軍の指導者マンネルヘイム元帥は不十分な資源を配分する達人だった。個々の戦線でソ連の脅威が他と比べてどのくらい危険かを勘案し、耐えがたい苦境のなかでもつねに冷静さと明晰な思考力を維持し、部隊とその指揮官たちに対する信頼を失わなかった。また、フィンランド首相で後の大統領ユホ・パーシキヴィと後継者ウルホ・ケッコネンは、二人ともロシア語が流暢であったが、それに加えて巧みな交渉術を発揮し、弱者の立場からスターリンの信頼を獲得し、それを維持しつづけた。被害妄想に囚われていたスターリンに、フィンランドの独立維持はソ連にとって有利な政策であると思わせることに成功した（あなたがパーシキヴィになったつもりで考えてみてほしい。パーシキヴィは一九四四年九月、継続戦争の講和交渉のためにモスクワに飛んだ。一九四〇年三月の冬戦争の講和交渉のときもモスクワに赴いている。だがフィンランドは、冬戦争を終結させた講和条約を破って、ドイツと協力体制を築き、一九四一年夏にカレリアを取り戻している。一九四四年、その状況に置かれたあなたは、スターリンになんと告げるだろうか？「信じてください。今回は私を信頼してもだいじょうぶです」とでも？）。とはいえ、マンネルヘイムや、パーシキヴィ、ケッコネンの指導者としての影響力を強調しすぎるべきではない。彼らの目的や戦略は、他のフィンランドの指導的立場にあった将軍たちや政治家たちとそれほど違ってはいなかったのだ。ただ彼らの手腕が抜きんでていただけなのである。

国家に特有の問題のもう一方は、悲惨な内戦や国内紛争の後の和解である。一九一八年のフィンランド内戦後になされた国内の和解は、チリのピノチェトによる軍事独裁政権瓦解後の和解と比べてはるかに迅速で徹底していた（第4章）。また、インドネシアで一九六五年に軍が引き起こした大量虐殺では和解のための施策が現在までほとんどおこなわれていない（第5章）。このような国ごとの違いは、どれくらい軍部が権力を握り、旧敵を威圧しつづけているかによって説明がつく。インドネシアでは、一九六五年以降も軍部が力を持ちつづけていた。チリでも、ピノチェトが大統領職を追われてからも、軍部は、表舞台に立ちつづけ強圧的な姿勢を崩さなかった。他方、フィンランド軍は、内戦後に存在感を薄めている。国ごとの差を説明するもうひとつの原因は、フィンランド人全体に共有されていた「独自性」に対する意識である。内戦の勝者も敗者も、同じ平等主義という伝統を持ち、お互いに世界のなかでも独特なフィンランド語を話し、『カレワラ』を吟唱し、ジャン・シベリウスやパーヴォ・ヌルミを生んだ祖国の人間なのだ。

本章では、他国からの突然の衝撃で危機に陥った国の例のひとつとして、フィンランドについて論じてきた。次章では、もうひとつの例である明治時代の日本をみていく。フィンランド同様、日本にも強力なナショナル・アイデンティティがあり、言語は独特だ。また、文化的にはフィンランドよりはるかに独特で、フィンランドよりもさらに思いきった選択的変化を起こしている。その現実主義はフィンランド同様に際立っているが、置かれている地政学的状況が異なるために、日本は、フィンランドよりも長期的な視野に立った、制約がない戦略を選ぶことが可能であった。

第3章　近代日本の起源

私と日本の関係

本書で取り上げた他の国とは違い、私は日本語を話せないし、長期間日本に住んだこともない。また、初めて訪れたのもわずか二〇年ほど前だ。しかし、日本の選択的変化や、伝統的な日本らしさとヨーロッパ的なものの混じり合った国の特徴について、間接的に学ぶ機会はたくさんあった。生まれ育ったアメリカ東海岸のボストンと現在住むカリフォルニアを比較すると、カリフォルニアはアメリカのなかでもアジア系の人口が多い地域である。その多くが、日本人か日系アメリカ人だ。現在、私が教えるUCLAでは、ヨーロッパ系の学生を抜いて、アジア系がいちばん多くなっている。日本人の友人や日本人の同僚もたくさんいて、私の素晴らしく優秀な日本人研究助手もその一人だ。彼らは長年にわたって欧米で生活し、欧米社会の知識も豊富だ。なかには国際結婚している

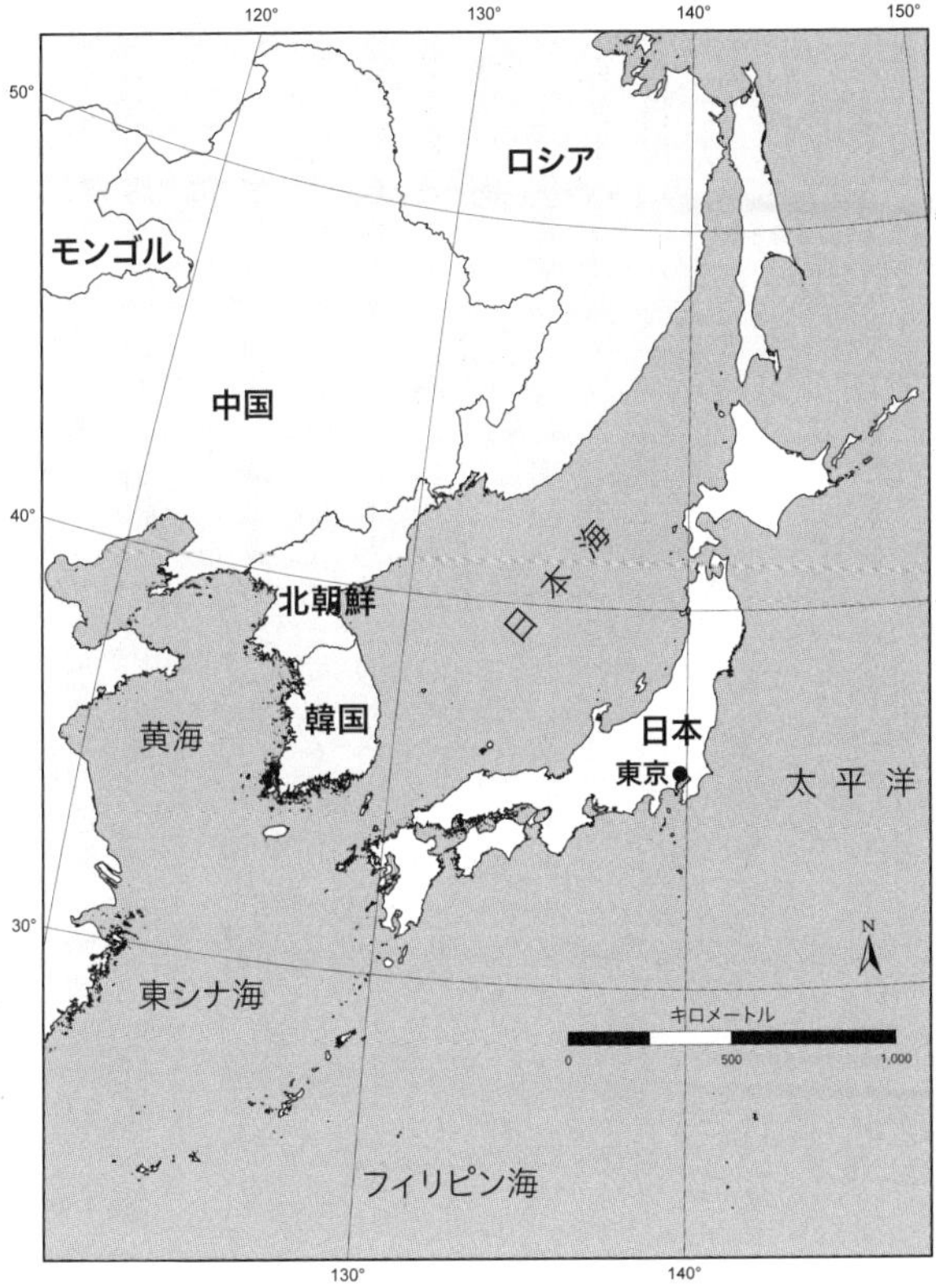
120°
130°
140°
150°
50°
40°
30°
ロシア
モンゴル
中国
北朝鮮
韓国
日本海
日本
東京
太平洋
黄海
東シナ海
フィリピン海
N
キロメートル
0
500
1,000

図3　日本の地図

人もいる。また、日本のことをとてもよく知るアメリカ人の友人や同僚もたくさんいる。彼らも長年にわたって日本で生活したことがあり、日本人と国際結婚している人もいる。また、私の妻の親族が日本人と結婚している関係で、親戚二家族が日本人で、日本人のいとこや姪がいる。

そういうわけで私は、日本と欧米両方に長年にわたり生活した経験を持つ日本人や欧米人から、日本と欧米の違いについてたえず話を聞いている。日本人の親戚や学生、友人、同僚たちは口をそろえて、日本と欧米の社会には大きな類似点と大きな相違点が共存しているという。彼らが挙げた相違点のいくつかを、重要度は気にせずに挙げてみよう。謝罪する（あるいはしない）こと、日本語の読み書きが難しいこと、黙って苦難を耐え忍ぶこと、得意先を丁重に接待すること、徹底した礼儀正しさ、外国人に対する感情、あからさまな女性蔑視的ふるまい、患者と医師のコミュニケーションのしかた、字の美しさが自慢になること、希薄な個人主義、義理の両親との関係、人と違うと周囲から浮いてしまうこと、女性の地位、感情について率直に話すこと、私心のなさ、異議の唱え方――他にもいろいろある。

これらの相違点は昔から日本が受け継いできたものと、近代日本が受けた西洋の影響との共存で生じている。この混成は一八五三年七月八日に突発的に生じた危機とともにはじまり、一八六八年の明治維新以降加速した。明治維新は、日本が半世紀にわたって選択的変化を繰り返す一大事業だった（詳しくは後述）。明治日本は、他国を手本として選択的な国家レベルの変化を起こした国として、世界でも稀な好例だ。前章で取り上げたフィンランドの危機同様、日本の危機も突然の外国からの脅威がきっかけとなった（日本の場合、直接的な軍事攻撃はなかった）。やはりフィンランドと同様、日本は、他に類をみないほど公正な自国評価をし、有効な対処法がみつかるまで忍耐強く試行錯誤をつづけた。日本がフィンランドと違うのは、はるかに包括的に選択的変革をおこなったことと、地政学的な制約がなく、大きな行動の自由があったことだ。このため明治日本をフィンランドと比較することは、良い事例研究となる。

一八五三年以前の日本

日本は非ヨーロッパ国でありながら、ヨーロッパおよびネオ・ヨーロッパ（アメリカ、カナダ、オーストラリア、ニュージーランド）社会と比肩する生活水準、工業化、科学技術を実現した最初の近代国家である。今日の日本は、経済や科学技術の分野のみならず、政治や社会でもヨーロッパやネオ・ヨーロッパと多くの共通点がある。議会制民主主義国家で、識字率が高く、みな洋装である。音楽も、日本の伝統音楽以外に、西洋音楽が楽しまれている。しかし、日本にはいまだにヨーロッパ諸国と違う点が、とくに社会生活や文化で顕著にみられ、その違いはヨーロッパ諸国間でみられる差異よりもはるかに大きい。日本社会に非ヨーロッパ的な面があるのは、驚くべきことではない。日本は西ヨーロッパからは一万二〇〇〇キロメートルも離れており、古代から交流のあった近隣のアジア大陸の国々（とくに中国と朝鮮半島）から多大な影響を受けていたのだから、それも当然である。

一五四二年以前には、ヨーロッパからの影響はまったく日本にもたらされていない。それ以後、一五四二年から一六三九年までのあいだ、ヨーロッパの海外進出にともなう影響がつづいた（とはいえ、あまりにも遠いせいで、その影響はごく限られたものだった）。その後、一八五三年までヨーロッパからの影響はごく小さくなっていた。現代の日本社会のヨーロッパ的側面は、ほとんどが一八五三年以降に日本にやってきたものだ。もちろん、昔からの日本的なものをすべて西洋的なものに置き換えてしまったわけではない。伝統的な要素は、今も数多く残っている。日本は、ココナッツグローブ大火の被害者や、第二次世界大戦後のイギリスのように、古い自己と新しい自己が混在するモザイクなのだ。本書で取り上げた他の六カ国と比べても、日本のモザイク性は際立っている。

明治維新以前、日本の実質的支配者は、征夷大将軍と呼ばれる世襲制の軍事独裁者であり、天皇には実権がなかった。一六三九年から一八五三年までのあいだ、江戸幕府は日本人と外国人との接触を制限していた。島国であるという地理的条件の影響もあり、孤立の歴史がつづくことになる。だが、世界地図をざっとみて日本とイギリス諸島の地理的条件を比較すると、この孤立の歴史に驚くかもしれない。

ユーラシア大陸の東西の果ての海に浮かぶふたつの島国は、一見すると地理的条件がそっくりに思える（ちょっと地図をみて確かめてもらいたい）。日本とイギリスは面積もほぼ同じようだし、どちらもユーラシア大陸のすぐそばに位置しているから、大陸との関係の歴史も当然似たようなものだろうと思われがちだ。だがイギリスがキリスト生誕の頃から大陸勢力に計四回も侵略されているのに対し、日本は一度も大陸勢力に侵略されたことがない。逆に、イギリスは西暦一〇六六年のノルマン・コンクエスト以後、一世紀に一度の割合で大陸に軍を派遣して戦っているが、日本は一九世紀末頃まで、ごく短期間の二度の出兵以外、一度も大陸に軍を派遣したことがない。また、三〇〇〇年前の青銅器時代から、ブリテン島とヨーロッパ大陸のあいだでは活発に交易がおこなわれていた。ヨーロッパ大陸で生産される青銅の原料となる錫《すず》は、コーンウォール地方の鉱山が主要輸出元となっていた。一、二世紀前のイギリスは世界でも屈指の貿易大国だった一方で、日本の貿易規模は非常に小さかった。地理的条件から単純に予測されることと明らかに矛盾する、この日英の差はなぜ生じたのだろう？

この矛盾を説明するためには、もっと詳細に地理的条件をみるのが重要だ。一見、日本とイギリスの面積と隔絶度は似ているが、実際は日本のほうが大陸から五倍遠い（一八〇キロメートルと三五キロメートル）。また日本はイギリスの一・五倍の面積があり、土地もはるかに肥沃だ。したがって、現在の日本の人口はイギリスの二倍以上で、農作物や木材の生産量と沿岸漁業の漁獲高も日本のほうが多い。近代工業が発展し、石油や鉄鉱石などの金属鉱物の輸入が必要となるまで、日本は必要不可欠な天然資源をほぼ自給でき、外国貿易の必要性が低かった――だが、イギリスはそうではなかった。日本史の特色ともいえる孤立には、以上のような地理的背景があった。一六三九年以降の鎖国は、その傾向を強めただけにすぎない。

ヨーロッパ人が海路で初めて中国にやってきたのが一五一四年、日本に到達したのは一五四二年だった（日本では一五四三年とされているが、ポルトガル側の記録では種子島上陸は一五四二年）。日本はすでに中国や朝鮮半島と貿易していたが、これ以降、ポルトガル人、スペイン人、オランダ人、イギリス人との貿易がはじまった。とはいえ、日本とヨーロッパが直接品物をやりとりしていたわけではなく、ヨーロッパ諸国が中国沿岸部や東南アジアに所有した植民地との貿易だった。このヨーロッパ人との接触は、武器から宗教まで、日本の社会のあらゆる領域に影響を与えた。一五四二年に日本の種子島に最初に到達したポルトガル人が火縄銃で鴨撃ちをするのをみた日本人はひどく感銘を受け、ポルトガル人の火縄銃をさらに改良し、自分たちで生産しようと熱心に取り組んだ。その結果、一六〇〇年には、当時の世界最高性能の火縄銃を保有することになる。キリスト教宣教師が初めてやってきたのは一五四九年だったが、一六〇〇年には日本人信徒数は三〇万人になっていた。

しかし、歴代将軍はヨーロッパの影響に全般的に懸念を感じていたし、とりわけキリスト教について憂慮していた。そして、ヨーロッパ人が日本政治に干渉し、幕府に対する謀反を企てる者に武器を供給していると非難した。他の宗教に対する不寛容を説き、幕府の禁教令に従わないカトリック教徒は、外国の支配者（ローマ教皇）に忠誠を尽くしているとみなされた。一六三六年から三九年のあいだに数万人もの日本人キリスト教徒が処刑され、その後、江戸幕府はオランダ以外のヨーロッパ諸国との関係を断った。キリスト教は邪宗門とされた。ほとんどの日本人は、海外に行くこと、外国に住むことを禁止された。難破して漂流し、ヨーロッパやアメリカの船に救助された日本人漁師もいたが、どうにか帰国できても、自宅に軟禁されたり、海外での経験について話すことを禁じられたりした。貿易のために長崎に寄港できるのは、中国とオランダの商人だけになった。しかも、中国人は長崎郊外の一角につくられた中国人居住地区だけ、オランダ人（キリスト教の布教をしないと約束していた）は長崎港につくられた出島だけに居住を制限された。一年に一度（後に四年に一度）、オランダ商館長は、献上品を持って江戸に参府することを命じられた。経路はあらかじめ決められており、厳しい監視の目がついた。まるで危険な病原菌を容器に密封しておくような扱いだった。いくつかの藩は、朝鮮、アイヌ、琉球王国と貿易をつづけた。朝鮮通信使も周期的に日本を訪問した。このように外国との接触は皆無ではなかったが、かなり限定的だった。

オランダと日本との貿易は、経済的にはほとんど無視できる規模だった。日本にとっては、オランダ商人がヨーロッパに関する貴重な情報をもたらしてくれたことのほうが、重要性が高かった。オランダを通じて得た西洋の科学的知識は「蘭学」と呼ばれ、とりわけ医学、天文学、地図、測量、火器、火薬などの知識が私塾で教えられた。幕府の天文方《てんもんかた》に置かれた蛮書和解御用《ばんしょわげごよう》が、オランダ語の書籍を翻訳した。ヨーロッパを含む外国についての情報は、中国経由でも入ってきていた。中国の書物、中国語に翻訳されたヨーロッパの書物などが情報源だった。

つまり、一八五三年まで、日本と外国人との接触はきわめて限定されており、しかも大部分が幕府の管理下に置かれていたのである。

ペリー来航

一八五三年の日本が今の日本と違うのはもちろんだが、一九〇〇年の日本と比べても、重要な点でまったく違う国だった。一八五三年の日本は、中世ヨーロッパに似たところのある、封建制の階級社会だった。国は、中世ヨーロッパの領主よりも強大な権力を持った「大名」が治める「藩」に分割されていた。諸大名を従える権力の頂点にいるのは将軍で、一六〇三年以降は徳川家の歴代将軍が日本を支配していた（口絵3・1）。江戸幕府の直轄領は、日本全体の総石高の約八分の一を占めていた。大名が婚姻や城の修築をする場合は、幕府の許可が必要だった。また、二年ごとに家臣を連れて江戸に出仕し、一年間は江戸の藩邸で過ごすことを求められた。その移動や滞在にかかる莫大な経費は、すべて大名自身がまかなうことになっていた。一八五三年当時、これらの制度は将軍と大名のあいだに緊張関係を生んでいたし、江戸幕府の財政難、一揆の多発化、都市化、商人階級の台頭といった諸問題もあった。だが、江戸幕府はこれらの問題に巧みに対処し、二五〇年間つづく幕府を倒そうという差し迫った危険はみあたらなかった。倒幕のきっかけとなった衝撃は、西洋がもたらしたものだった。

西洋が日本に圧力をかけるようになった背景には、西洋の中国への圧力がある。中国には、西洋人が欲しがる産品が日本と比べてはるかに多くあった。ヨーロッパの消費者がとくに求めていたのは、中国の茶と生糸だった。ところが、西洋には中国が欲しがるような輸出品がほとんどなかったので、ヨーロッパ人は銀貨を支払っていた。銀貨を支払う一方だったイギリス東インド会社は、安価なインド産アヘンを、すでに中国市場で出回っている中国産アヘンよりも低い値段で売るという妙案を思いついた（残念だが、このイギリスのアヘン政策は、西洋人を誹謗中傷するためのでっちあげではない。紛れもない事実だ。現在の中国人の西洋に対する姿勢をよく理解するためには、このことを覚えておく必要がある)。これに対して中国政府は、当然のことながら、アヘンは健康に有害であると非難し、アヘン密輸を取り締まった。そして、ヨーロッパの密輸業者に、中国沿岸に停泊している船に積んだアヘンをすべて引き渡すよう要求した。イギリスは、貿易に対する不当な制約だとして、中国のこの対応に抗議した。

そうしてはじまったのが、イギリスと中国が一八三九年から四二年まで戦ったアヘン戦争だ。この戦争で、西洋と中国の軍事力の差が初めて白日の下にさらされた。中国はイギリスよりもはるかに大きく人口も多かったが、イギリス陸海軍の装備と練度は中国のそれをはるかにしのいでいた。中国はアヘン戦争に敗北し、講和条約交渉では屈辱的な譲歩を強いられた。中国が調印した南京条約では多額の賠償金支払いが科せられただけでなく、五港をイギリス貿易のために開港させられた。それにつづいてフランスとアメリカも、同様の譲歩を中国から引き出し、不平等条約を結んだ。

中国での出来事を知った江戸幕府は、西洋のどこかの強国が同じような条約港制度を要求してくるのは時間の問題だ、と恐れた。それは一八五三年に現実のものとなる。要求してきた西洋の強国は、アメリカだった。西洋列強のなかでアメリカが最初に日本に行動をしかけたのは、一八四八年にメキシコからカリフォルニアを割譲されたことがきっかけとなっている。その直後にカリフォルニアで金が発見されてゴールドラッシュがはじまり、太平洋岸を行き来するアメリカ船が爆発的に増えた。太平洋を航行する捕鯨船や商船の数も増加した。そしてそのなかには難破する船もあった。日本近海で難破する船もあり、日本に漂着するアメリカ人船員もいた。彼らは、日本の鎖国政策に従って殺されたり逮捕されたりした。アメリカは、難破船の船員が保護と援助を受けること、さらにアメリカ船が日本で石炭を購入できるようになることを望んでいた。

そこで、アメリカ大統領ミラード・フィルモアは、マシュー・ペリー代将率いる四隻の軍艦から成る艦隊を日本に派遣した。四隻のうち二隻は大砲を搭載した蒸気船で、当時の日本が所有する船とは別次元の性能だった（日本には、蒸気船どころか蒸気機関もなかった）。一八五三年七月八日、ペリーの艦隊は許可なく江戸湾入口の浦賀沖に入り、日本側からの退去命令を拒絶して、さまざまな要求がしたためられたフィルモア大統領の国書を手渡し、翌年までに回答を用意するよう告げた。

日本にとって、黒船来航と圧倒的戦力を誇示したあからさまな脅迫は、既存の対処法では解決できない深刻な問題という私たちの「危機」の定義に当てはまる。ペリーが去ると江戸幕府はフィルモア大統領の国書を諸大名に回覧し、この異常事態にどのように対処すべきか意見を求めた。意見を求めること自体が、異例の対応だった。諸大名の提案のほとんどに共通していたのは、鎖国政策維持を強く求める声だった。だが、ペリーの戦艦に対抗して日本を防衛するのは実質的に不可能だという認識もあった。そこで出てきた妥協策は、とりあえず時間稼ぎをして、その間に西洋式の大砲と、防衛に必要な技術を手に入れるというものだった。この意見が大勢を占めることになる。

一八五四年二月一三日、ふたたびペリーがやってきた。当初は六隻が浦賀に来航し、遅れて三隻が到着した。ペリー代将は、日本が西洋諸国と初めて結ぶ条約となる、日米和親条約を締結した。日本は、ペリーの要求した通商条約締結を先延ばしにすることには成功したが、二一五年間にわたった鎖国政策に終わりを告げることになる事項に関しては譲歩した。アメリカの船が物資を供給できるよう下田と箱館の二港を開港し、下田にアメリカ総領事を駐在させることを認め、難破したアメリカ人船員を人道的に扱うことに同意した。この日米和親条約が成立すると、極東に配置されたイギリス、ロシア、オランダ各海軍の司令官も、すぐに日本と同様の協定を結んだ。

一八五三年から一八六八年まで

江戸幕府が日米和親条約を締結し、二〇〇年以上もつづいた鎖国が終わった一八五四年からの一四年間は、日本の歴史のなかでも激動の時代だった。むりやり開国させられた結果生じたさまざまな問題に、江戸幕府はどうにか対処しようとした。だが、最終的に徳川将軍家はその対処に失敗する。開国が引き金となった日本社会や江戸幕府の変化は、もはや止めようがなかったのだ。それらの変化が今度は、国内の対抗勢力による倒幕につながっていき、さらにその対抗勢力によってたてられた新政府のもと、広範囲にわたる変化が起こった。

日米和親条約と、イギリス、ロシア、オランダが結んだ同様の条約では、日本との貿易をはじめるという西洋諸国の目的はかなえられていない。そのため初代アメリカ総領事が交渉をし、より広範な条項を含む日米修好通商条約を一八五八年に締結した。この条約には貿易に関する条項がしっかり入っていた。今回もアメリカとの条約締結につづいて、イギリス、フランス、ロシア、オランダと類似の条約が締結された。やがて日本国内では、これらの条約が屈辱的だとみなされるようになり、「不平等条約」と呼ばれるようになった。そこには、日本は西洋列強諸国のような扱いを受ける価値がない、という西洋諸国の意識が具現化されていたからである。たとえば、西洋諸国に領事裁判権が認められており、西洋人は日本で裁かれなかった。つぎの半世紀の日本の政策の最優先目標は、この不平等条約を改正することとなった。

一八五八年当時の日本の軍隊はまだ脆弱で、この目標を達成できるのは、はるか未来のことのように思われた。そこで江戸幕府はもっと控えめな中間目標を設定する。それは、西洋人による介入、その思想の侵入や影響を最小限に食い止めることだった。その目標を達成するために、日本は、その条約を遵守する姿勢をみせつつ、実際はじりじりと先延ばししたり、合意内容を一方的に変えたり、西洋人が日本の地名をあやふやに覚えていることを利用したり、西洋各国を競わせたりしていた。一八五八年に各国と結んだ条約では、日本は貿易がおこなえる「条約港」を五港に限定させることと、外国人の居住や外出を港の周辺地区に制限し、その範囲を超えた移動の禁止に成功する。

時間稼ぎが、一八五四年以降の江戸幕府の基本戦略だった。これは、西洋列強を（できるだけ少ない譲歩で）満足させつつ、西洋の知識、設備、技術を手に入れ、軍事力と軍事力以外の国力を増強し、できるだけ早い時期に西洋列強に抵抗できる能力を身に着けるためだ。幕府と、薩摩藩や長州藩[4]などの有力諸藩は、西洋の船舶や大砲を購入して軍の近代化を図り、欧米に留学生を派遣した。学生たちは、西洋の航海術や造船、工業、土木、科学技術といった実際的な学問ばかりでなく、西洋の法律、言語、憲法、経済、政治学、文字なども学んだ。幕府は、蛮書和解御用を発展させて蕃書調所《ばんしょしらべしょ》を設立して、西洋の書物を翻訳したり、英語の文法書や辞書の制作を援助したりした。

このように幕府と有力大名は力を蓄えていったが、西洋人との接触により、日本国内ではさまざまな問題が生じつつあった。幕府も薩長も、武器の購入や留学生の派遣にともなう出費のため、外国人から多額の借金をしていた。物価が上昇し、生活費を圧迫する。幕府は独占的に外国との貿易をおこなおうとしていたが、それに反対する武士や商人も多かった。一度目のペリー来航の際に対応をめぐって幕府から下問を受けた諸大名のなかには、これまでのように幕府がすべてを決めるのではなく、もっと諸大名が国の政策や計画策定にかかわるべきだと思うようになった者もいた。西洋列強と交渉し、条約を結んだのは幕府だったが、条約に反する行動をとる諸大名を抑え込むことができなくなっていた。

その結果、各所で衝突が起こった。まず、西洋列強と日本とのあいだに、開国の規模をめぐる争いが起きていた。西洋列強は、より開国を促進したかったし、日本の多数派意見は、できるだけ開国を小規模に抑えることだった。昔から幕府に敵対心を持っていた薩長は倒幕姿勢を鮮明化させ、西洋の装備や軍事知識を採り入れ、薩長同盟を結んで幕府と争った。大名同士の争いも増えた。本来朝廷の意に沿って行動することになっている幕府と、名目上の国主だった天皇とのあいだにまで対立が起こった。たとえば、朝廷は日米修好通商条約の内容に勅許を与えなかったが、幕府はそのまま条約に調印してしまったのだ。

4　ライバル同士の有力藩だった薩摩と長州は、近代日本の歴史ではもっとも重要な役割を果たしている。どちらも一六〇〇年の関ヶ原の戦いで敗れた外様大名である。一八六〇年代初頭には、率先して西洋列強や西洋の船舶を攻撃したため、それぞれ手痛い報復を受けた。一八六六年には薩長同盟を結び、倒幕に向けて協調した。

日本国内でもっとも先鋭化したのは、日本の基本的戦略におけるジレンマをめぐる対立だった。今、外国人に抵抗し、排斥すべきか？　それとも、日本がもっと国力を充実させてからにするべきか？　幕府による不平等条約の調印は、日本国内に反発を引き起こした。日本を侮辱した外国人への怒り、日本が侮辱されるのを許した将軍や諸大名への怒りに火をつけたのだ。一八五九年頃にはすでに、一途な若い武士たちが、怒りに駆られ血気にはやって刀をひっさげ、外国人を追い出すために、暗殺を繰り返すようになっていた。彼らは「志士」と呼ばれるようになる。彼らは、自分たちが伝統的な日本の価値観だと信じるものに訴え、自分たちは年寄りの政治家たちよりも倫理的に優れた存在だと考えていた。

次に挙げる一八六一年に出された土佐勤王党の盟約文には、彼らの怒りがにじみ出ている。「堂々たる神州夷狄《いてき》の辱《はずか》しめを受け、古《いにしえ》より伝はれる大和魂は今は既に絶えなんと、帝《みかど》は深く歎《なげ》き給《たま》ふ。……君辱しめらるれば臣死すと。況《いわ》んや皇国の今にも衽《じん》を左にせんとするを他にや見るべき。……錦旗一たび揚らば、団結して水火を踏むと、爰《ここ》に神明に誓ひ上は帝の大御心をやすめ奉り、我老公の御心を継ぎ、下は万民の患を払はんとす。されど私もて何にかく争ふものあらば、神の怒り罪し給ふをまたで人々寄りつどひて腹かき切らせんと、おのれおのれが名を書きしるしをさめおきぬ」（出典：産経新聞、二〇一五年七月一九日付）

志士によるテロ活動の対象は外国人だったが、外国人のために働いたり、外国人に媚びを売る日本人も数多く襲われた。一八六〇年、ある志士の一派が、日米修好通商条約の調印を進めた大老井伊直弼の首をとる。日本人による外国人襲撃事件のなかでとくに際立つのが、薩摩藩士と長州藩士がかかわった一八六二年と六三年のふたつの事件だ。一八六二年九月一四日、二八歳のイギリス人商人チャールズ・リチャードソンが生麦村の路上で薩摩藩士に刀で切りつけられ、そのまま失血死する。薩摩藩主の父親を含む行列に対して礼儀を欠く行為をしたというのがその理由だった。イギリスは損害賠償と謝罪および実行犯の処刑を、薩摩のみならず幕府にまで要求した。イギリスと薩摩との一年近くつづいた交渉は決裂し、ついにイギリスの艦隊が薩摩の城下町鹿児島に砲撃をしかけ町の大半を破壊した。ある推計では、薩摩藩士一五〇〇人が死亡したという。もうひとつの事件は、一八六三年六月下旬に起こった。長州が沿岸に設置した砲台から西洋の艦船を攻撃し、本州と九州を隔てる要である馬関海峡（関門海峡）を封鎖したのだ。一年後、イギリス、フランス、アメリカ、オランダの一七隻の軍艦から成る連合艦隊が砲台を砲撃で破壊し、残っていた大砲も陸戦隊が上陸して持ち去った。

このふたつの西洋による報復で、薩摩や長州の好戦的で過激な攘夷派も、さすがに西洋の大砲の威力を思い知らされ、まだ脆弱な日本の現状では外国人を追い出そうと努力するだけむだだと悟った。急進的な攘夷派とて、西洋に引けを取らない軍事力を日本が手に入れるまで待たねばならない。皮肉なことだが、それは、攘夷派が激しく非難していた幕府が進める政策であった。

だがここにきて薩長をはじめとする一部の藩は、江戸幕府は西洋と対抗できるところまで日本の国力を強化できない、と確信するにいたった。西洋の技術を導入するという目標は幕府と共通するものの、この目標達成には日本の政府と社会を再編する必要がある、というのが倒幕派の大名たちの出した結論だった。そこで大名たちは、しだいに将軍を出し抜くための方法を画策しはじめる。それまで薩長は、対抗心を燃やし、互いを信頼せず、ずっと争ってきた。だが、江戸幕府の軍事力強化が双方の藩にとって脅威となることを認識した薩長は手を組むことにする。

一八六六年に一四代将軍家茂が死去すると、一五代将軍慶喜は近代化と改革に集中的に取り組みはじめる。フランスから軍備を輸入し、軍事顧問を呼び寄せたのもその一環である。これにより、薩長は危機感をつのらせた。一八六七年に孝明天皇が崩御すると、一五歳で明治天皇が即位する（口絵3・2）。薩長の藩主らは、明治天皇の外祖父と共謀して、朝廷の後押しを取り付けた。一八六八年一月三日、門を封鎖して人の出入りを制限した京都の御所のなかで、倒幕派の有力大名が会議を開き、徳川将軍家の領地を取り上げて官位官職を奪うことと、幕府廃止が決定され、将軍辞職が認められた。武家政治の終焉である。この会議の決定では、天皇に統治大権が戻る（王政復古）という神話が強調された。実際には長年にわたり、統治の実権はずっと幕府が担っていたものだった。これらが明治維新として知られる出来事であり、ここから新たな支配体制の時代、明治時代がはじまる。

明治時代

このクーデター的政変により朝廷と京都を掌握した明治の指導者たちの当面の問題は、どうやって全国支配を確立するかということであった。徳川慶喜自身は鳥羽・伏見の戦いの敗北を認めていたが、そうではない藩も多かった。その結果、新政府軍と旧幕府軍とのあいだで内戦となった。一八六九年六月、北海道の箱館で旧幕府軍の残党が降伏してようやく、西洋列強は明治天皇率いる新政府が日本の正統な政府であることを認めた。そうなって初めて、明治の指導者たちはこの国の改革に取りかかれるようになったのである。

明治時代初期、日本の大部分が、変革の対象とされた。一部の指導者は、天皇親政を望んでいた。天皇は名目上の国主のままにして、天皇の補弼《ほひつ》をおこなう「元老」たちの会議が実権を握るのがよい、と考える者もいた（最終的にこれが有力な対処法となった）。さらに、天皇制廃止によって共和制に移行すべきという提案もあった。西洋のラテン文字を高く評価していた日本人のなかには、漢字とひらがなとカタカナで成り立つ、美しいが複雑な書字体系をローマ字に置き換えるべきだと主張する人もいた。早期に朝鮮半島に攻め込むべきだと主張する者もいたし、時期尚早だという者もいた。士族は禄を食《は》む家臣として武力を提供する存在でありつづけたいと思っていたが、士族以外の人々は、帯刀を廃し、武士という存在自体をなくしたいと考えていた。

相反する提案が入り乱れるなか、明治政府の指導者たちは基本的な大原則を三つ採用した。第一の原則は、現実主義である。指導者層には即今《そっこん》攘夷主義の急進的な攘夷派に属していた者もいたのだが、現実主義がすぐに優勢となった。明治政府の指導者たちも、今の日本には西洋人を追い払う実力はないと認識するようになった。それは、旧幕府が自明としていた結論だった。西洋人を追放するためには、西洋列強の強さの源となっている要素を採り入れ、日本の国力を養わなければならない。西洋式の火器ばかりではなく、西洋の強さを支える政治・社会制度を広範な改革によって導入しなくてはならない。

第二の原則は、明治政府の最終目標を、西洋諸国に強要された不平等条約の改正とするということである。そのためには、国力を養い、さらに西洋式の憲法や法律を備えた、正当な文明国であると西洋列強に認めさせなければならない。たとえば、イギリス外相のグランヴィル伯は、日本人公使に向かって手厳しい言葉を吐いている。「日本人の啓蒙と文明化の進捗に応じて、〔日本在住の〕イギリス臣民に対する日本の裁判権を認めよう」。ただし、啓蒙と文明化の進捗は、イギリスの基準に沿ってわれわれが判断する、と。結局、領事裁判権を撤廃させるまでに、明治維新から二六年の歳月が必要だった。

第三の原則は、外国の手本をそのまま導入するのではなく、日本の状況と価値観にもっとも適合性の高いものを手本としつつ、日本向けに調整する、というものだった。明治日本は、イギリス、ドイツ、フランス、アメリカからとりわけ多くのものを借用した。たとえば、新設された帝国海軍はイギリス海軍を、帝国陸軍はドイツ陸軍を手本にしている。また、手本とする国を次々に変えたこともあった。たとえば司法省が民法典を制定する際、フランス学者の助けを借りて最初の草案をつくったが、さらにその草案にドイツ民法典を手本にした修正が加えられた。

明治日本が西洋から借用したものは膨大であり、いずれも意図的、計画的に採り入れられている。そのために西洋人を日本に招聘する場合もあった。たとえば、西洋人教授を招いて日本の学校の教壇に立ってもらったり、教育内容に対して助言をもらったりした。憲法制定には二人のドイツ人学者を呼んで手伝わせている。そのため大日本帝国憲法は、ドイツ帝国のビスマルク憲法と酷似したものになった。だが、欧米への視察旅行に参加した日本人が、外国を観察して借用したものも多い。そのなかでも非常に重要な一歩となったのが、内戦が終結し明治政府の支配が安定してから二年後の一八七一年に出発し、一八七三年に帰国した岩倉使節団である（口絵3・3）。政府首脳ら約五〇名の使節が、アメリカとヨーロッパ一二カ国をめぐり、工場や官庁を見学し、アメリカのグラント大統領をはじめとする各国首脳と会談した。使節団の目的は、「欧亜諸州開化最盛の国体諸法律諸規則等、実務に処して妨げなきを親見し……之《これ》を我国民に施設する方略を目的とする」（原文は漢字カタカナ交じり文。出典：『大使全書』）とされていた。彼らは帰国後に、西洋社会に関する広範囲にわたる詳細な知見を五巻組の『米欧回覧実記』にまとめた。また、一八七〇年に普仏戦争が勃発すると、ヨーロッパ人の戦争をじかに観察するために、日本は観戦武官を派遣した。

こうした視察や留学によって海外で経験を積んだ日本人の多くが、明治日本を牽引する政官財のリーダーとなった。たとえば、一八八〇年代に明治政府で若くして権力を握った重要人物が二人いる。伊藤博文（大日本帝国憲法の中心的起草者）は、数回にわたってかなり長期間ヨーロッパに滞在している。もう一人の山県有朋はドイツ帝国で軍事学を学んだ（後に首相に就任）。五代友厚はヨーロッパでの経験を活かして、大阪商工会議所の会頭となり、鉄道会社や鉱山会社の設立に関与した。また、渋沢栄一（一八六七年のパリ万博に日本使節団の会計係兼書記として派遣）は、日本の銀行制度と繊維工業などの各種産業の発展に力を尽くした。

大々的な西洋からの借用を日本の伝統主義者が受け入れやすくするために、社会の革新や西洋からの借用を、伝統的な日本のやりかたに回帰しただけで新奇なことではない、と主張されることがしばしばあった。たとえば、ドイツ帝国憲法を参考にしてつくられた大日本帝国憲法を一八八九年に発布する際の上諭で、明治天皇は「万世一系ノ帝位ヲ践《ふ》ミ」、「国家統治ノ大権ハ朕《ちん》カ之《これ》ヲ祖宗ニ承《う》ケ」と述べている。同じように、明治時代に新しく考え出された宮廷祭祀も、悠久の昔からつづいている儀式だとされた。

革新的なものごとを古来の伝統だとする「伝統の発明」という現象は、日本以外の国でもよく利用されてきた。「伝統の発明」は、明治政府の指導者による劇的な変革を成功に導いた。一八六八年一月の王政復古の大号令によって政権を掌握したばかりのときの日本の状態は悲惨で、明治政府の指導者たちは危険に直面していた。日本はいつ西洋列強から攻撃されるかわからない状態だったし、旧幕府と新政府との争いが内戦に発展するおそれもあった。諸藩同士が戦争する可能性もあったし、それまでの地位と権力を失うことを恐れる者たちが反乱を起こす危険性もあった。士族の特権廃止に際しては、実際に反乱もいくつか起きている。もっとも深刻だったのは、一八七七年に薩摩藩の士族を中心に引き起こされた西南戦争である。一八七〇年代には農民一揆もときおり起きた。しかし、明治維新に対する抵抗運動は、予想されるほど暴力的ではなかった。指導者たちは潜在的な敵対勢力や、すでに抵抗運動を起こしている者たちを買収したり、仲間に取り込んだり、和睦を進めたりするのが、非常に巧みだった。たとえば榎本武揚のように、一八六九年まで旧幕府軍の艦隊を率いて北海道で官軍と抗戦していたにもかかわらず、最終的に明治政府に取り込まれ、駐ロシア公使や大臣まで務めた人物もいる。

明治維新

それでは明治日本でどのような選択的変化が起きたのか、具体的にみていこう。芸術、衣服、国内政策、経済、教育、天皇の役割、封建制、外交政策、行政、髪型、イデオロギー、法律、軍隊、社会生活、科学技術など、変革は日本人の生活の大部分におよんだ。明治元年から数年内に、速やかにとりかかった変革がいくつかある——中央政府直属の近代的軍隊の建軍、封建制の廃止、全国的な近代教育制度の整備、税制近代化による歳入確保などだ。それにつづいて指導者たちが目を向けたのが、諸法典の編纂、憲法草案の作成、海外への領土拡大、不平等条約の改正などだった。これら喫緊の問題と並行して指導者たちが着手したのは、国民の一体感を醸成するイデオロギーを生み出すという難題だった。

軍隊の近代化は、まず近代的な西洋の装備品を購入することと、最初にフランス人将校、後にドイツ人将校を招聘し、帝国陸軍の兵士を訓練させるところからはじまった。つづいてイギリス海軍を手本に（当初はフランス海軍も手本となる可能性があった）、近代的海軍の編制へ試行錯誤がはじまった。明治政府がいかに最適な外国のモデルを選ぶことに秀でていたかは、結果に表れている。陸海両軍の手本として一カ国を選ぶのではなく、陸軍の手本としてドイツを、海軍の手本としてイギリスを選んだ(一九世紀末のヨーロッパで最強の陸軍はドイツ軍、最強の海軍はイギリス軍だったからだ!)。ひとつ具体例を挙げよう。日本は、イギリスが開発した超弩級巡洋戦艦と呼ばれる高速戦艦の建造法を学びたいと考えた。そこで日本はまず、イギリスの造船所に一番艦〈金剛〉の設計と建造を発注した。そして〈金剛〉の技術をもとに、横須賀海軍工廠と二カ所の民間造船所で二番艦から四番艦までを一隻ずつ建造させた。

ヨーロッパの制度をもとに、一八七三年に徴兵令が発布された。中央政府直轄の近代的陸海軍で三年間の兵役義務が課せられた。江戸時代には諸藩がそれぞれ武装集団として武士を抱えていた。刀剣類は火器が主力となる近代戦ではそれほど役立つわけではないが、それでも新政府にとって武士は脅威だった(口絵3・4)。そのため明治維新後、士族は帯刀を禁じられ、敵討《かたき》ちを禁止する布告も出された。封建的身分制も廃止され、士族は新政府から禄を支給された。しかしこの禄も、秩禄処分によって、利子付きの公債に取って代わられて、支給されなくなった。

もうひとつの急務は封建制の廃止だった。日本を強くするには、西洋的な近代中央集権国家をつくる必要があった。これには扱いに注意を要する問題がともなう。一八六八年一月の段階で、新政府が実質的に支配できていた土地は将軍から接収したものだけで、それ以外は封建領主である藩主のものだった。そこで、領地(版)と領民(籍)を天皇に返すべきだという建白を受けて、一八六九年三月、明治維新の立役者であった薩摩と長州を含む四藩主が、天皇に「版籍奉還」の上表を提出した。この上表では、天皇に土地と人民を返すとしながら、具体的にどうするかについては曖昧な表現になっていた。他の藩主もこれにつづき上表を提出し、天皇は同年七月にこの上表を受け入れた。旧大名は旧領地の「知藩事」にいったんは任命された。だが一八七一年八月に旧大名たちは、自分たちの藩（と知藩事という役職）は廃止され、中央集権的な県が代わりに置かれることになると告げられた。それでも藩主たちは旧藩の実収石高の一〇％を家禄として支給され、それまで藩主がまかなってきた藩の運営資金の負担が免除された。こうして三年半のあいだに、何世紀もつづいてきた日本の封建制度は消滅したのである。

天皇は天皇のままだった。そこは変えられなかった。しかし、これまでのように京都御所に隠棲することはもうなくなった。天皇は、江戸から名前を変えて実質的な首都となっていた東京に移られた。四五年の在位中、明治天皇は九七回にわたって地方を巡幸された。江戸時代（一六〇三〜一八六八年）の二六五年間におこなわれた天皇の行幸はわずか三回だったことを考えると、その回数がいかに多かったかがわかる。

教育も大きな改革の対象となり、大きな成果を生んだ。歴史上初めて日本に全国的な近代教育制度が誕生したのである。初等義務教育を授ける小学校が一八七二年につくられ、つづいて一八七七年には日本初の大学が、一八八一年に中学校が、そして一八八六年には高等中学校が設置された。当初は高度に中央集権化されたフランスの学校制度をモデルとしていたが、やがて一八七九年に教育の権限を地方に委ねるアメリカ式の学校制度に移行した。さらに一八八六年ドイツをモデルとする学校制度がはじまった。これらの教育制度改革の結果が識字率である。世界でもっとも複雑で覚えにくい書字体系の日本語が国語であるにもかかわらず、識字率は九九%で世界一だ。日本の新しい教育制度は西洋の制度を参考にしているが、掲げられた教育目標は完全に日本的なものだった。日本人のあいだに一体感を醸成し、天皇を敬愛する、忠実かつ愛国的な国民を育てることである。

より一般的な教育改革の目標もあり、重要度では負けていなかった。官吏として働く人材を育てることと、日本全体の人的資本を向上させて、日本の世界的地位を向上させ、繁栄させることだ。一八八〇年代にはすでに西洋的な教育成果を問う文官試験が実施されていた。全国的な近代教育と、官職の世襲制が廃止されたことで、伝統的な階級区分は目立たなくなった。高等文官になるために必要なのは、家柄ではなく学歴になったからだ。それもあって、世界の一四の富裕な民主主義大国のなかでは日本の資産分布はもっとも平等だし、人口あたりの億万長者の数の割合ももっとも小さい。この二点で日本の対極にあるのはアメリカである。

明治政府の残る最優先事項は、政府運営のための歳入を確保することだった。それまでの日本には、西洋的な国税がなかった。個々の藩主は藩独自の税を徴収し、藩の運営資金を確保していた。幕府は直轄領からの税収があり、それに加えて事業単位で上納金や賦役を諸大名に課していた。明治政府が元藩主の「知藩事」の任を解き、藩主が領有していた土地を「県」として中央政府の管理下に置く布告を出したため、元藩主たちは藩の運営資金を得るという名目を失った（と明治政府の指導者はいった）。廃藩置県によって、明治政府の大蔵省は、幕府と各藩主が得ていた歳入合計額を徴収する根拠を得ることができた。これを実現するために、西洋の方式が採用された。土地に三％の国税を課したのである。農民から不満の声があがり、地租改正反対一揆も相次いで起こった。農作物の収穫量とは無関係に、一定額の現金を徴収されたからである。だが当時の彼らに予知能力があって、欧米の現行税率を知ることができたら、自分たちの幸運を祝っていたことだろう。たとえば、私の住むカリフォルニア州では、州に一％の固定資産税と、最大一二％の所得税を納め、さらに最大四四％の所得税を国に納めなければならない。

緊急度は少し下がるが、課題は他にもあった。日本の伝統的な司法制度に代わる西洋式の法制度の導入もそのひとつだった。一八七一年に日本初の東京裁判所がつくられ、裁判官が任命された。大審院と呼ばれる最上級審は一八七五年に設置された。刑法、商法、民法はそれぞれ別の国の法典を手本に試行錯誤と改正を重ねたため、西洋化の道筋がそれぞれ異なっている。刑法典は、当初フランス法を元にして改正されていったが、その後ドイツ法を手本に改められた。商法典はドイツの法を元にしている。民法典は、フランス法、イギリス法や、日本古来の考え方を採り入れたが、最終的にはドイツ法の影響が大きいものになった。司法制度をどう改革するかという判断には、大きくふたつの点が影響を与えた。ひとつは、それが日本人の考え方と折り合いがつくかどうか。もうひとつは、西洋のどの制度を採用すれば、不平等条約を改正するために必要な文明国として他国に認められるか、だった。たとえば、日本では昔から拷問がおこなわれていたし、死刑の適用範囲が非常に広かった。こういった刑罰は西洋人からすれば野蛮で不適切にみえるため、廃止する必要があった。

インフラの近代化は、明治時代のごく早い時期にはじまっている。一八七二年には、北海道を除く全国を網羅した近代郵便制度がはじまり、日本初の鉄道が建設され、最初の電信線が引かれた。翌七三年には国立銀行が創立された。東京の街路にはガス灯が設置された。政府は日本の工業化も推進していく。レンガ、セメント、ガラス、機械類、生糸を、西洋から輸入した生産機械と製造法でつくる官営工場が建設された。日清戦争(一八九四〜九五年)に勝利してからの日本政府の産業政策は、石炭鉱業、電力産業、銃器製造、製鉄、製鋼、鉄道、造船など、軍需産業に集中するようになった。

日本が国際社会でまともに扱われるためには、政府の改革がとくに重要だった。そして、とくに難しいものでもあった。一八八五年に内閣制度が導入された。一八八一年には、憲法を欽定する方針が固まっていた。これは各地で起こっていた国会開設運動と憲法制定への圧力に応えたものだった。だが、日本の状況に合った西洋式の憲法を制定するまでに、八年の歳月を要した。この難題の解決には、アメリカ憲法ではなくドイツ帝国憲法を手本にしたことが大きな役割を果たした。ドイツ帝国は強大な力を持つ皇帝の存在に重点を置いており、日本の実情に合致したのである。大日本帝国憲法の万世一系という言葉には、天皇の始祖が神であり、一〇〇〇年以上前から途切れなく世襲制で継承されてきたと信じる日本人の信念が表れている。初代天皇である神武天皇が即位してから二五四九年目の記念日(二月一一日)に、宮城《きゅうじょう》で、ある儀式が執りおこなわれた。紀元節の儀式で天皇みずから皇祖皇宗《こうそこうそう》に憲法発布の御告文《ごこうもん》を奏した後、正殿にて大日本帝国憲法を記した巻物を内閣総理大臣に手渡した。憲法は、天皇から日本国へ下賜する形式がとられた。式典には、各国の外交官や在日外国人の代表が、重要な点をきちんと把握するよう招待されていた。すなわち、日本は今や立憲主義の文明国となったのだ。他の立憲主義国家と肩を並べる存在だ(つまり、不平等条約の対象となる国ではなくなったのだ)。

日本人の生活の他の側面と同様に、日本文化も新しい西洋的要素と日本の伝統的要素のモザイクとなった。洋装と西洋風の髪型は、明治時代の日本人男性にあっという間に広まった(口絵3・5、3・6)。たとえば、一八七二年の岩倉使節団の五人を写した集合写真が撮影されたのは、明治維新のわずか四年後、ペリー来航から一九年後だが、四人は西洋風のスーツ、ネクタイ、シルクハットを身に着け、髪型も西洋風だ（口絵3・3）。ひとり岩倉具視だけが、羽織袴姿で髷《まげ》を結っている。芸術分野でも、舞踏会、軍楽隊、交響楽団、オペラ、西洋式演劇劇場、西洋絵画、小説が入ってくる一方で、日本の伝統音楽、日本画、浮世絵、歌舞伎、能などは生き残った。

国民全体を束ねるなんらかのイデオロギーの存在を国民が感じられなければ、どんな国家でも空中分解してしまう危険がある。各国には一体感を醸成するイデオロギーを生み出すための国是や特有の言い回しがある。たとえばアメリカの場合は、「民主主義」「平等」「自主」「自由」「機会」といった国是があり、これらは「無一文から大金持ちへ《ラグズ・トゥ・リッチズ》」「人種のるつぼ」「自由の地」「機会平等の国」「無限の可能性の地」といった言い回しに表出している。とくにインドネシア（第5章）のように独立して間もない国や明治日本のように急速な変化が起こりつつある国では、国民を一体化するイデオロギーを政府が意図的につくって唱道することが多い。明治日本はどうしたのだろうか？

明治日本を一体化するイデオロギーの必要性は、一八九一年に刊行され、広く読まれた『釈明教育勅語衍義《えんぎ》』という書籍のなかで説かれている。これは、前年の一八九〇年に明治天皇が発した教育勅語の解説書である。「然《しか》るに日本は蕞爾《さいじ》たる一小国にして、方《まさ》に今各国呑噬《どんぜい》を恣《ほしいまま》にするの秋なれば、四方皆敵なりと思はざるべからず……苟《いやしく》も我が邦人たるもの、国家の為《た》めには一命を塵芥《ちりあくた》の如《ごと》く軽んじ、奮進勇往、以《もっ》て之《こ》れを棄《す》つるの公義心なかるべからず……勅語の主意は、孝悌忠信の徳行を修めて、国家の基礎を固くし、共同愛国の義心を培養して、不慮の変に備ふるにあり……凡《およ》そ国の強弱は、主として民心の結合如何による、苟《いやしく》も民心結合せざらんか、城砦艨艟《じょうさいもうどう》も恃《たの》むに足らず、苟《いやしく》も民心結合せんか、百万の勁敵《けいてき》も、亦《また》我れを如何《どう》ともすること能《あた》はず」（原文は漢字カタカナ交じり文。出典：井上哲次郎『釈明教育勅語衍義』広文堂）

税制改革や諸法典編纂など実際的な急務を片付け終わった明治政府は、明治時代の後半の二〇年間、公に対する忠誠心を国民に持たせることにより意識を向けた。神道への国家的支援も役に立ったのだが、もっと効果的だったのは公教育だった。神道は日本人の一体感を醸成するうえで役に立った。皇祖神の存在、愛国心、市民の義務、孝悌、神々の崇敬などを共通の信念として人々に教えるために、政府は神道を支配下に置き、儒教的道徳教育を後押しした。官国幣社と呼ばれる格の高い神社は皇室や国庫から公費を支給され、神職は国から任命された。これらの価値観は、天皇を現人神《あらひとがみ》として崇めることとともに、日本のあらゆる小学校で使用が義務化されていた修身の国定教科書のなかに明確に採り入れられた。

「西洋化」

ここまで、明治日本がおこなってきた主要な選択的変化について簡単にまとめてきた。ただし、海外への領土拡大については後述する。ここからは、明治時代に起こった変化について考察し、誤解を受けそうな部分を正しておこう。

明治政府の指導者がめざしていたのは、断じて日本の「西洋化」ではなかったし、日本をヨーロッパから遠く離れた場所にあるヨーロッパ的社会にすることではなかった。この点で、オーストラリアにやってきたイギリス人植民者が、オーストラリアをイギリスから遠く離れた場所にあるイギリス社会にすることをめざしていたのとは異なる（第7章）。明治政府の目標は、多くの西洋的要素を採り入れつつ、日本の状況に合うように調整し、日本の伝統的要素を多く残すことだった。採用されて調整された西洋的要素は、日本の長い歴史を通じて保たれてきた日本人の核にくっつけられていった。たとえば、識字教育と都市化については、日本は西洋の手本を必要としていなかった。江戸時代から、すでに日本は高い識字率を誇っていたし、首都の江戸はペリー来航の一五〇年前には、すでに世界最大の都市になっていたのだ。また、明治時代の西洋化は、西洋の制度の特定要素をやみくもに模倣したわけではなかった。明治の指導者たちは、自分たちが調整を加えつつ採り入れた西洋式の軍隊や教育などの諸制度が生まれた西洋社会について、驚くほど明確かつ包括的に理解したうえで、西洋化を進めていた。

明治日本には手本となるものがたくさんあった。イギリス、ドイツ、フランス、アメリカなどの西洋諸国から、分野ごとに手本となる国を選ぶことができた。もともと日本国内にあったものを手本とすることもあった。江戸時代末期の日本には二五〇以上もの藩があり、税制などの制度がばらばらだったからである。こういった良い手本のほかに、悪い見本からも重要な教訓を得ることができた。中国である。西洋列強によって半植民地化された中国の運命を目撃したおかげで、日本が回避すべきことが明確になった。

明治時代の改革は二種類の「観客」に向けておこなわれた。国内の日本人と、海外の西洋人だ。もちろん明治時代の改革は、日本が自国のためにおこなったものだ。富国強兵と国民の一体感を醸成するイデオロギーを浸透させるためである。その一方で、これらの改革は西洋人が重視する諸制度を導入し、西洋列強から日本を同等な文明国として丁重に扱ってもらえるようにするという狙いもあった。西洋から導入された制度のなかには、西洋的な憲法や諸法典といった、基本的な統治制度も含まれている。また、男性の洋装や髪型といった外見的なもの、そして天皇が西洋流の結婚をしたことも含まれる。天皇は、西洋の流儀に従って皇后を一人だけにしたのだ（それ以前の日本の天皇に複数の皇后とたくさんの側室がいたことは公然の事実だった）。

明治時代の指導者たちは、富国強兵によって西洋列強と対抗できる日本をつくることを最終目標としていた。だが網羅的な青写真が最初からあったわけではない。明治時代の改革は、少しずつ段階的に考案され、採用されていったのだ。第一段階として、政府直属の軍隊を建軍し、歳入を確保し、全国的な近代教育制度を立ち上げ、封建制を廃止した。第二段階として、憲法を制定し、諸法典を編纂し、さらに戦争による海外への領土拡大がはじまった（次項で述べる）。しかも、これらの改革がすべて順調に、異論もなく進められてきたわけではない。明治日本にも内部対立があった。先に述べたように、士族の反乱や農民一揆も起こっていたのである。

領土拡大

明治時代のおもな選択的変化のうち、まだ考察していないものがひとつある。それは、西洋列強の領土的野心の対象になっていた日本が、海外への領土拡大と軍事的侵略をおこなう国に変貌を遂げたことである。これまでみてきたように、江戸時代の日本は鎖国政策をとり、海外の領土を占領しようという野望は持っていなかった。一八五三年の日本には、はるかに強力な軍事力を備えた西洋列強からの脅威が迫っていた。

しかし、一八六八年に明治時代に入って、陸海軍の改革と殖産興業が進展すると、差し迫った脅威が消えて、逆に段階的な領土拡大が可能になった。第一段階は、一八六九年の北海道併合だ。もともと日本人とは違う先住民族のアイヌ人が住んでいて幕府による部分的な支配を受けていたこの北の島を、正式に日本の領土としたのである。つづいて、台湾に漂着した宮古島の島民が台湾原住民によって何十人も殺されるという事件が起き、一八七四年には台湾に日本から征伐軍が派遣された。最終的に日本は軍を撤退させ、このときは台湾併合にはいたらなかった。一八七二年、今度は琉球王国が日本に併合された。そして一八九四年から九五年にかけて日清戦争を戦った日本はこれに勝利し、下関条約で台湾を併合した。これが明治日本の最初の対外戦争だった。

明治日本が最初に西洋列強相手に軍事力を試したのは、日露戦争（一九〇四～〇五年）だった。日本の海軍と陸軍はそれぞれロシアを破った（口絵3・7、3・8）。これは世界史上の画期的な出来事だった。西洋列強が総力戦で初めてアジアの国に負けたのである。戦後結ばれたポーツマス条約によって、日本はサハリン島の南半分を併合し、南満州鉄道の権利を獲得した。朝鮮半島では、一九〇五年に大韓帝国を保護国化し、一九一〇年には併合している。一九一四年、日本は中国の膠州湾にあったドイツの租借地を占領し、ドイツ領ミクロネシアを手に入れた（口絵3・9）。そして一九一五年にはついに、日本は中国に対し対華二十一箇条要求を突きつけた。この要求がすべて通れば中国は事実上日本の属国となっていただろう。だが、中国は要求を一部しか呑まなかった。

一八九四年以前から、日本はすでに中国や韓国に攻め込むことを考えていた。実行しなかった理由は、軍事力がまだ十分ではないと日本が考えていたことと、西洋列強に介入の口実を与えてしまうのを恐れていたことが挙げられる。明治日本が自身の戦力を過大評価して判断を誤ったのは、日清戦争末期の一八九五年の一度きりだ。日本が当時の清国から引き出した譲歩には、遼東半島の割譲も含まれていた。中国大陸と朝鮮半島を結ぶ陸路と水路の要衝だ。だがフランス、ロシア、ドイツの三国干渉によって、日本は遼東半島を手放さざるを得なかった。ちなみにロシアはその三年後、旅順を租借地としている。この屈辱的な失敗によって、日本は、西洋列強に単独で対抗するにはまだ力不足であることを認識した。そこで一九〇二年に、日本はイギリスと日英同盟を結んだ。こうして後ろ盾と保険を用意してから、一九〇四年にロシアとの戦争に臨んだのである。また対華二十一箇条要求も、第一次世界大戦がはじまって西洋列強が軍隊を自由に動かせなくなるのを待ってから突きつけた。日英同盟で安全は担保されていたものの、一八九五年の三国干渉のような介入を西洋列強ができないようにするためだった。

明治日本の軍備増強と領土拡大は、成功に次ぐ成功をおさめた。それは、現実的かつ注意深く、確度の高い情報にもとづいて公正な自国評価がおこなわれ、日本と対象国との相対的な国力差を見極めていたからだ。日本は現実的に何ができるのかを正しく判断しながら、少しずつ慎重に行動していた。この成功した明治時代の拡大政策を、一九四五年八月一四日の日本の状況と比較してみよう。このとき日本は、中国、アメリカ、イギリス、ロシア、オーストラリア、ニュージーランドと同時に戦線を構えていた（他にも対日宣戦布告をしていた国は多数あったが、実際に戦争をしていたのはこの六カ国だけだ）。対戦相手としては最悪の組み合わせだ。日本陸軍の大部分は、もう何年も前から中国で膠着状態に陥っていた。アメリカの爆撃機は、日本のほとんどの大都市を燃やし尽くしていた。ふたつの原子爆弾は、広島と長崎を壊滅させていた。米英艦隊は、日本の本土沿岸部に艦砲射撃を浴びせていた。ロシア軍は、弱々しい日本の抵抗を蹴散らして満州とサハリンに進撃した。オーストラリアとニュージーランドの部隊は、太平洋上の島々に点在した日本軍の駐屯地を掃討していた。日本の大型戦艦と商船団はほぼすべてが撃沈されたか、航行不能状態だった。すでに三〇〇万人以上の日本人が殺されていた。

これらの国から同時に攻撃される原因が外交政策の失敗だったとしても、十分ひどい話なのだが、日本が犯した重大な失敗はもっとひどかった。日本のほうからこれらの国に戦争をしかけていったのだ。一九三七年、日本は中国と全面戦争に入った。一九三八年と三九年には二度にわたってソ連と国境で戦った（張鼓峰とノモンハン）。ふたつとも戦闘期間は短かったが、死傷者が多数出た悲惨な戦いだった。一九四一年には、ソ連との戦いがまた起こる可能性があったにもかかわらず、日本は英米蘭を同時に奇襲する。イギリスに攻撃をしかけるということは、イギリス統治領のオーストラリアとニュージーランドを戦争に巻き込むことを意味した。日本はオーストラリアへの爆撃もはじめた。一九四五年、とうとうソ連も対日戦争に参戦した。一九四五年八月一五日、遅きに失した感はあるものの、日本はついに不可避の帰結に屈服した。降伏したのだ。一八六八年以降の明治日本は、現実的な軍備増強と領土拡大を段階的かつ着実に成功させていった。だが、なぜ一九三七年以降の日本は、非現実的かつ最終的には失敗に終わる領土拡大を、一歩ずつ間違った方向に進んでいったのだろうか？

理由は多数ある。日露戦争の成功、ヴェルサイユ条約への失望、一九二九年の世界恐慌を発端として輸出主導型で経済を成長させるもくろみが潰えたことなどだ。しかし、本書のテーマと非常に関連の深い理由をもうひとつ挙げよう。明治日本の指導者と、一九三〇年代、四〇年代の日本の指導者では、公正な自国評価をおこなうための知識や能力に違いがあったのである。明治時代には、軍幹部を含む多くの日本の指導者が海外に派遣された経験があった。そうして中国やアメリカ、ドイツ、ロシアの現状や陸海軍の実力を詳細に直接知ることができ、日本と各国の国力差を公正に評価できた。彼らは成功を確信した場合にだけ、攻撃をしかけた。対照的だったのは一九三〇年代に中国大陸に展開していた日本陸軍だ。大陸の将校たちは若く急進的だったし、海外経験もなかった（ナチスドイツを除いて）。そして、東京の大本営にいた経験ある指導者層の命令を聞き入れなかった。若き急進派将校たちは、アメリカの工業力や軍事力を直接見聞きしたことがなかったし、日本の潜在的敵国についても無知だった。アメリカ人の国民心理も理解できず、アメリカというのは厭戦思想の蔓延する商人の国だと考えていた。

一九三〇年代でも、政治家や軍幹部（とくに海軍）の長老の多くは、欧米の力を直接見聞きした経験があった。私が日本で経験した、非常に強く印象に残っている話をしよう。初めて日本を訪れた一九九八年のこと、日本の製鉄会社の元重役だった九〇代のご老人と一緒に夕食を囲む機会があった。彼は一九三〇年代にアメリカの製鉄所を視察したときのことを私に話してくれた。アメリカの製鉄所の高級鋼生産能力が日本の五〇倍であることを知り、彼は衝撃を受けたそうだ。その事実ひとつだけで、対米開戦が狂気の沙汰であることを確信したという。

だが一九三〇年代の日本では、海外経験のある長老級の指導者たちが、海外経験のない若い急進派に恫喝され、威圧され、何人かは暗殺された。幕末期の一八五〇年代末から六〇年代にかけて過激な志士たちが当時の日本の指導者たちを恫喝したり暗殺したりしていたのとそっくりだ。志士たちも一九三〇年代の青年将校たち同様、外国の強さを直接的には知らなかった。違ったのは、志士が西洋人を襲ったことにより、西洋の強力な軍艦が鹿児島の城下町や馬関海峡の両岸を砲撃したことだった。これにより、志士たちですら自分たちの戦略は非現実的だと納得させられた。だが一九三〇年代には、海外に行ったこともない若い将校たちに現実をたたき込む外国による砲撃はなかったのだ。

さらに、明治の日本人指導者と、一九三〇年代の指導者たちが経験した歴史が正反対であったこともある。明治の指導者たちが成長したのは、弱い日本、いつ強力な敵国が現れ攻撃されるかわからない状態の日本だった。だが一九三〇年代の日本の指導者にとって戦争といえば、痛快な勝利をおさめた日露戦争だった。旅順港のロシア太平洋艦隊を壊滅させた奇襲攻撃や、対馬沖でバルチック艦隊を完膚なきまでにたたきつぶした日本海海戦を思いうかべるのだ。旅順港の奇襲攻撃は、真珠湾でアメリカの艦隊にしかけた奇襲攻撃のモデルとなった（口絵3・7）。このように一国のなかで世代によって経験した歴史が異なるためにまったく異質な政治観を持つことになった例は、第6章のドイツでもみられる。

そういうわけで、勝算が絶望的にないにもかかわらず日本が第二次世界大戦をはじめた理由の一部（あくまで一部）は、一九三〇年代の若い軍幹部に現実的かつ慎重で公正な自国評価をおこなうのに必要な知識と経験が欠けていたことだ。そしてそれが日本に破滅的な結末をもたらしたのである。

危機の枠組み

明治日本では、第1章で挙げた国家的危機の帰結にかかわる一二の要因の大半と驚くほどよく似た要因がみてとれる。あるひとつの要因（表1・2の要因5）については、日本は、本書で取り上げる七カ国のうちこれ以上ないすばらしい典型例を示してくれる。もう一つの要因（要因7）については、他のもうひとつの国とともに日本は好例を示している。他の七つの要因（要因1、3、4、6、9、10、11）も重要だったし、要因12は、プラス、マイナス両面で機能している。

明治日本は、本書で論じる他のどの国よりも多く、外国を手本として借用した変化を経験している（要因5）。ある分野における日本の状況にもっとも適した手本を選び出すために、各国事例が比較検討された。その結果、大日本帝国憲法と陸軍はドイツを手本に、海軍はイギリスを手本に、民法典の最初の草案はフランスを手本に、一八七九年の教育改革はアメリカを手本にした。一八七〇年に板垣退助と福岡孝弟《たかちか》が政府に示した高知藩の藩政改革の提案「人民平均の理《ことわり》」には、アメリカ独立宣言まで登場している。板垣と福岡はその冒頭で、士農工商の隔てもなく、階級による貴賤や上下もないと述べ、それを前提にさまざまな結論を引き出している（アメリカ独立宣言第二文を思い起こしてほしい。「われわれは、以下の事実を自明のことと信じる。すなわち、すべての人間は生まれながらに平等であり……」という文が多くの結論につづいていく）。アメリカを手本にした政府をつくろうという板垣と福岡の提案は採用されなかったが、実際に採用された外国の手本は他にたくさんある。

先の項で、明治日本において現実的かつ公正な自国評価（要因7）が果たした役割についても論じてきたが、日本と同じくらいこの要素が重要な役割を果たしたのはフィンランドぐらいだ。ここまでの論考で、公正な自国評価を成功させるためには、ふたつの必要条件があることが明らかになってきた。ひとつは、苦しくつらい真実でも、厭《いと》わずに直視するという意思だ。日本の場合、「憎き毛唐《けとう》ども」のほうが日本よりも強いという真実と、日本が強くなるためには「憎き毛唐ども」から学ぶ以外に方法がないという真実であった。もうひとつの必要条件は、知識だ。明治日本の指導者や幕末期の志士たちにとって、西洋と日本の軍事力の圧倒的格差を直視するだけでは不十分だった。その強さを直接目撃したり、経験したりすることによって得られる知識も必要だった。ところが、一九三〇年代の青年将校たちには西洋の軍事力に関する直接的な知識がなかった。明治日本の現実的かつ公正な自国評価は、国家的危機の帰結にかかわるもうひとつの要因とつながってくる。ペリー来航によって、日本が危機に直面しているという世論が日本人全体で広く合意されていたことである（要因1）。

明治日本をみると、囲いづくりと選択的変化の必要性（要因3）についてもよくわかる。経済、法律、軍事、政治、社会生活、科学技術など、明治日本では社会のあらゆる側面で非常に大きな変化があった。しかし、伝統的な日本の特徴の多くも保持された。儒教的道徳観、天皇崇敬、民族の均質性、孝心、神道、日本語の書字体系などだ。当初、これらの分野でも変革が提案された。たとえば共和制導入やローマ字採用の提案もあった。しかし、日本はすばやく囲いをつくり、保持すべき伝統的要素と変える必要のある要素を線引きした。変化への願望と同様に、伝統を固守したいという願望も強かった。そのため、変革の一部は抵抗感を減らすために、「伝統の発明」を利用し、創造された歴史として提示された。劇的な変化と保守的な伝統保持の併存には、状況に合わせた国としての柔軟性（要因10）という要因もよく表れている。

外国を手本とする有用性とあわせて、外国からの支援の有用性（要因4）も明治日本にはみてとれる。その例を挙げていけば限りがないが、たとえば長崎を拠点にしていたイギリス人貿易商人のトーマス・グラバーは、一八六四年にはすでに一九人の薩摩の男たちの密航を手伝い、イングランドに留学させている。日本からやってきた人々を受け入れてくれたヨーロッパ人やアメリカ人もたくさんいた。一八八六年に来日したドイツ人顧問のアルベルト・モッセは、すでに来日していたヘルマン・ロエスレルとともに伊藤博文の憲法草案作成を助けた。イギリスの造船所ヴィッカーズは日本初の超弩級巡洋戦艦を建造した。一番艦の〈金剛〉を見本に〈比叡〉〈榛名〉〈霧島〉が日本国内で建造されることになる。

明治日本、そして現代日本には、強いナショナル・アイデンティティがある（要因6）。日本人や指導者層は、日本は類まれな、優れた、世界の他の国とはかけ離れた国だと考えていた。日本人が明治時代のさまざまなストレスを乗り切れたのは、そういう共通認識があったからである。より良い日本の未来をつかむにはどうすべきかについて意見が割れることはあったが、日本という国の価値を疑うことはけっしてなかった。

明治日本は忍耐の好例である。最初の解決策が失敗したとき、それを許容したうえでつぎを模索する意欲、うまく機能する解答がみつかるまで諦めない粘り強さである（要因9）。一八五〇年代と六〇年代に外国からの脅威に対して日本が示した最初の反応は、外国人を排斥しよう、というものだった。条約港への外国人立ち入りを認めて以降も、もう一度彼らを排斥しようと試みた。だが、幕府も志士たちも明治の指導者たちも、この対処法がうまくいかず、別の対処法が必要なことにしだいに気づいていった。つまり、日本を西洋に対して開国し、西洋から学び、日本の国力を高めるのである。同様に、明治時代になってからの諸法典や教育制度、憲法制定には何年もの時間をかけ、原案をいくつもつくり、制度を試験導入し、修正を加えていった。この三分野で明治政府は当初、ひとつ、または複数の外国を手本として試し、日本の状況に合わないとして当初選んだ手本を放棄した。そして最終的には、当初選んだのとは違う国を手本にしている。たとえば、民法典は、はじめはフランス法を、その後イギリス法を手本にし、結局はドイツ法を参考にした。

けっして譲れない基本的な価値観（要因11）によって、日本人は自己犠牲を厭わない国民として団結した。国家の基本的価値観のなかで上位にくるのは、天皇への忠誠だった。これは第二次世界大戦末期、アメリカが無条件降伏を要求した際に劇的に表れている。原爆をふたつ落とされても、戦況が絶望的であっても、日本は、ひとつの条件をかたくなに主張しつづけた。「天皇の国家統治の大権を変更するの要求を包含し居らざることの了解の下に受諾す」という条件である。この条件が認められなければ、日本はアメリカ軍との本土決戦をも辞さない覚悟だったのだ。日本人の基本的価値観がいかに強力だったかは、第二次世界大戦中、特攻攻撃や自決した兵士の数の多さにも表れている。他の近代国家と比較しても、これほど自己犠牲を進んでおこなった兵士はいない。もっともよく知られているのは神風特攻隊やロケット推進の滑空機〈桜花〉の乗員たちだ。彼らは爆弾を積んだ機体を敵艦に体当たりさせた。また〈回天〉は、艦船から発射される魚雷だが、これには操縦士が乗って敵艦まで誘導していた。神風特攻隊や、〈桜花〉〈回天〉といった特攻兵器が導入されたのは第二次世界大戦末期だったが、特攻兵器が開発される前から自爆攻撃はあった。降伏するとみせかけた兵士が隠し持っていた手榴弾を爆発させ、自分を捕らえた敵を道連れにするのだ。これらはいずれも、敵兵を殺すという軍事的な目的に直結していた。だが、敵兵を殺すためではないのに、戦いに敗れた日本兵や将校が自決するということも日常的にあった。日本陸軍は戦陣訓で「生きて虜囚《りょしゅう》の辱《はずかしめ》を受けず、死して罪禍《ざいか》の汚名を残すこと勿《なか》れ」とたたき込まれており、それに従ったのである。たとえば、一九四三年一一月のタラワの戦いでは、日本の精鋭守備隊二五七一人のうち二五六三人が死亡した。戦闘終盤の死者は自決が多かったとされる。捕虜になった兵士はわずか八人だった。

島国である日本は、陸に国境線がない。そのため、地政学的制約（要因12）という観点からみると、フィンランドやドイツといった他国と国境を接する国と比べれば、日本は比較的恵まれている。第2章ではソ連との国境線の長さが、フィンランドの問題の根本にあることをみてきた。第6章では、強国と接する陸の国境がドイツの歴史の主題となってきたことをみていく。だが、江戸時代と明治時代では、地球の反対側にあって大洋を隔てた西洋列強が、日本の根本的な問題となってきた。すでに一九世紀にはテクノロジーが地政学的制約を書き換えるようになっていたのだ。現在ではその傾向はさらに強くなっている。だが、テクノロジーによって、実際の地図上の地政学的制約がまったく消えてしまったわけではない。

四つの論点

明治日本についての論考の締めくくりとして、個人的危機には現れず、国家的危機にのみ生じる問題のうち四つについて、日本がどうだったかを考えていこう。暴力革命か平和的な漸進的変化か、指導者の役割、集団同士の衝突と和解、統合的な計画の有無、の四つである。

国家的危機は、暴力革命による大変革（一九七三年のチリ、一九六五年のインドネシア）になる場合と、平和的な漸進的変化（戦後のオーストラリア）になる場合がある。明治日本の変革は、後者にやや近い中間といえる。幕府による政治は、一八六八年一月三日にほぼ無血のクーデターによって終わった。徳川慶喜自身ではなく、旧幕府を支持する一部の者が抵抗し、一年半にわたる内戦の末に旧幕府軍は敗北した。だがこの内戦による死者は、一九六五年のインドネシアのクーデターとその後の反クーデターによる死者や、一九七三年のチリのクーデターとその余波による死者、一九一八年のフィンランド内戦の死者と比べてかなり少ない。

ナチスドイツといえばヒトラー、一九七三年以後のチリといえばピノチェト、一九六五年以後のインドネシアといえばスハルトだが、明治維新には、そのように突出した指導者はいない。明治時代のどの時期をみても、それぞれ複数の指導者がいる。一八八〇年代には少しずつ指導者が入れ替わっていった。さまざまなタイプの指導者がいたが、共通していたのは西洋世界をじかに知る経験があったことだ。いずれの指導者も諸外国から手本となるものを選び取り、富国強兵をめざすという基本戦略に専念した。天皇は、実際の指導者というより、象徴的で名目上の政府指導者という立場を変えなかった。

集団同士の衝突と和解についてみてみよう。一八五三年から六八年にかけて、国内には国家の基本戦略をめぐって意見対立があった。一八六八年以降、基本戦略は固まったものの、今度はそれを実現する政策をめぐる対立が起こった。これはどこの国でも起こり得る、正常な対立だ。一八七七年までは、このような対立を暴力的に解決する場合があった。とくに目立つのは、一八六九年までつづいた幕府と薩長同盟との対立、一八六〇年代の急進派志士と穏健派の対立、明治政府に対する士族の反乱である。しかし、チリやインドネシアと比べれば、暴力の度合いは穏やかだった。その後の和解でも、日本ではインドネシアに比べれば徹底した和解がおこなわれたし、チリよりもずっと包括的な和解だったといえる。理由のひとつは、犠牲者数がはるかに少なかったことである。もうひとつの理由は、明治政府の指導者たちが、チリやインドネシアの軍事指導者よりも和解のために努力をし、またその手法も巧みだったからである。本書で取り上げたその他の国のうち、暴力的な衝突の負の遺産を一掃したという点で明治日本と比肩するのは、一九一八年の内戦後のフィンランドだけだろう。

国家的危機の大半は、数多くの政策変更を必要とする。一つひとつを段階的に変更していくか、すべてを統合的な計画の下で変更していくかという点では、明治日本は後者にかなり近い。だが、明治時代の指導者たちが、政策変更を同時並行で一斉におこなったという意味ではない。彼らは、問題の緊急性を判別していた。まず一八七〇年代に政府直轄の陸海軍を編制し、税制を改革し、その他いくつか急を要する問題を解決した。だが、外国との本格的な戦争は一八九四年の日清戦争まではじめなかった。とはいえこれらの政策はすべて、明治時代初頭に合意があったひとつの原則を源泉としている。その合意とは、西洋から選択的に学習し、借用することによって、富国強兵を図ることである。

明治日本は、選択的変化によって国家的危機を解決した、ふたつめの好例である。ひとつめの好例であるフィンランドと明治日本は、何年も前から徐々に高まってきた外国の軍事的脅威が具現化したことで発生した危機に突然直面したという点で似ている。フィンランド人も日本人も、圧倒的に不利な状況下でも自己犠牲を厭わずに国を守ろうと思う、強固な基本的価値観とナショナル・アイデンティティを持っている――日本の場合、それを試されたのは明治時代ではなく第二次世界大戦のときだったが。また、フィンランド人も明治時代の日本人も、並外れて公正で現実的な観点を持っていた。だが、フィンランドと明治日本では正反対な部分もある。明治日本は多くの国から支援を得られたし、日本に脅威を与えたことのある国からすらも援助があった。一方のフィンランドは、冬戦争のあいだ、どこからも実際的な支援がなかった。また日本には、問題解決のために利用できる手本が豊富にあった。フィンランドには何もなかった。日本は人口が多く、経済力があり、敵国からの距離が離れていたため、脅威となる西洋列強と互角に戦える軍事力を増強する時間的な余裕もあり、地理的な制約もなかった。フィンランドとソ連の距離はあまりにも近く、国力の差も大きすぎたために、日本と同じような選択肢は残されていなかった。これから第4章と第5章では、フィンランドや明治日本のように突然危機に見舞われるが、その発生源が国内だった国について論じていく。

第4章　すべてのチリ人のためのチリ

チリ訪問

一九六七年、私はサバティカル休暇を利用してチリに滞在した。当時のチリは、とても平和な印象だった。わが国は他の中南米諸国と違いますからね、とチリでお世話になった方たちからはことあるごとに聞かされた。わが国は民主主義の長い歴史を誇り、軍事クーデターは数えるほど、いずれも短期間で終息し、血が流されることもほとんどなかったのだと、彼らは語った。チリは、ペルーやアルゼンチンなど他の中南米諸国のようにたびたび軍部が政権を握ることもなく、中南米のなかで政治的にもっとも安定した国家と目されていた。

チリの人々は中南米の一員ではあっても、意識としてはヨーロッパやアメリカにより近いと感じている。ひとつ例を挙げると、チリ大学とカリフォルニア大学には交流プロ

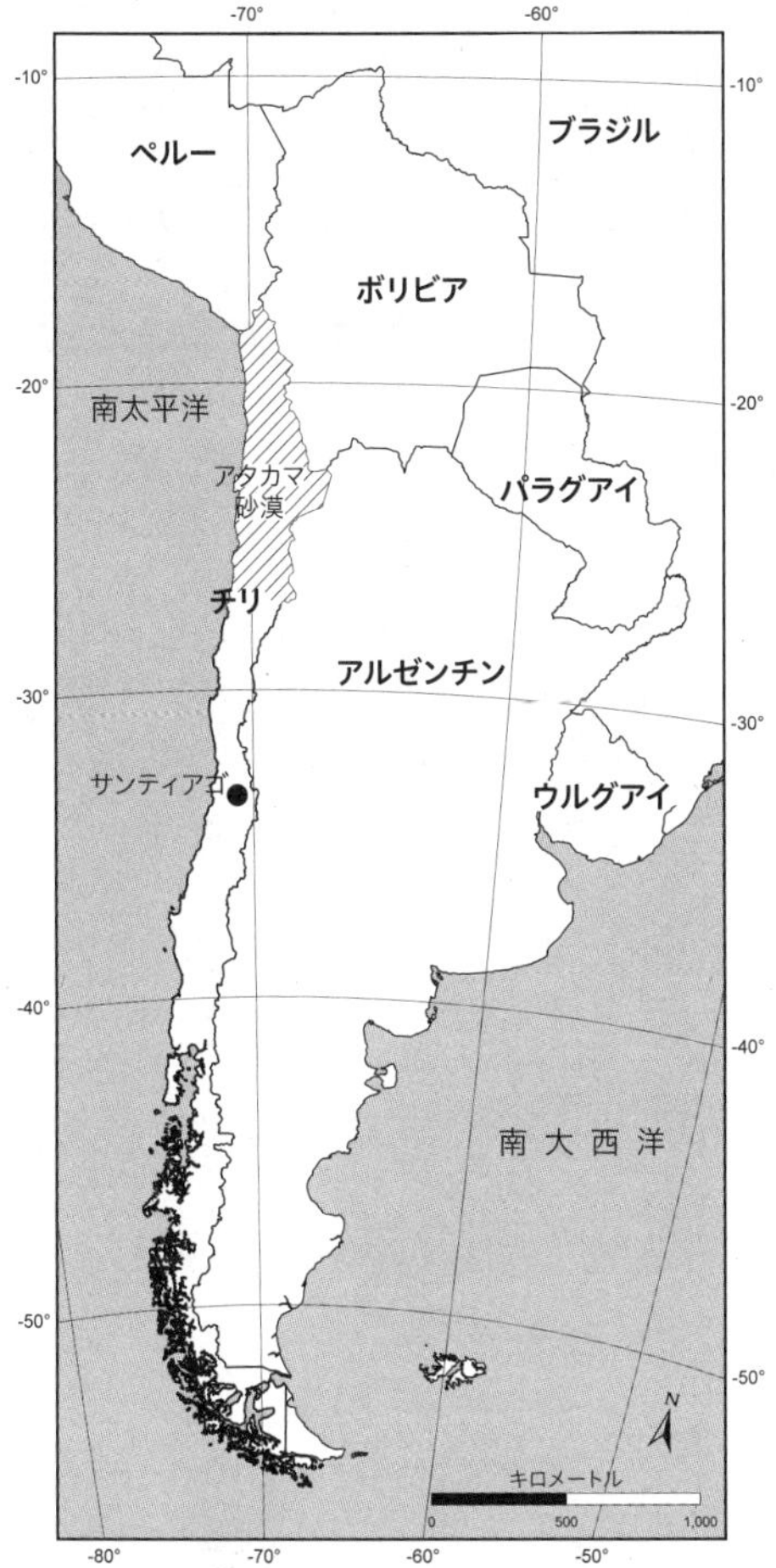
-70°
-60°
-10°
-10°
ブラジル
ペルー
ボリビア
-20°
南太平洋
-20°
アタカマ
砂漠
パラグアイ
チリ
アルゼンチン
-30°
-30°
サンティアゴ
ウルグアイ
-40°
-40°
南 大 西 洋
-50°
-50°
N
キロメートル
0
500
1,000
-80°
-70°
-60°
-50°

図4　チリの地図

グラムがあり、私もそれを利用してチリを訪れた。このプログラムが開始されたのは、チリとカリフォルニアには、ともに南北米大陸西海岸の地中海性気候帯に位置しているという地理的共通点があるだけでなく、社会的雰囲気と政治的安定性にも相通じるものがあるという認識からだった。「われわれチリ人は自分のことは自分で決められる」とチリの友人たちは端的に表現したものだった。

ところが、私のチリ滞在からわずか六年後の一九七三年、チリは軍事独裁政権に支配されてしまう。かつてない残虐な拷問をおこなったことで歴史に名を残す政権である。チリ国民が自由選挙で選んだ大統領は、九月一一日に起きた軍事クーデターのさなか、官邸でみずから命を絶った。軍事政権は多数のチリ人を殺害し、さらに多くのチリ人を拷問にかけ、肉体的・精神的に痛めつけるために新たにおぞましい拷問方法を編み出した。やむなく国外に逃れたチリ人も多数にのぼった。軍事政権はテロリストを使ってチリ圏外にいる政敵を暗殺させることまでした。アメリカ国籍を有する人物がアメリカ国内で殺害されたこともあった（一九七六年、ワシントンDCにおいて）。二〇〇一年九月一一日（奇しくもチリのクーデター記念日）にワールド・トレード・センタービルへのテロ攻撃が起きるまで、アメリカ人がアメリカ国内でテロリストに殺害された例はこの一件だけである。軍事政権はチリを一七年近く支配した。

軍事政権が権力を手放し、文民政府が発足してから二九年経った今も、チリには負の遺産が重くのしかかる。拷問をおこなった者や軍の幹部の一部は収監されたが、軍の最高幹部はだれも刑務所送りになっていない。多くのチリ人は拷問がおこなわれたことを嘆く一方で、軍事クーデターそのものについてはやむを得ない事態だったと今も考えている。

これからチリ現代史をみていくうえで、いくつかの疑問を心に留めておく必要がある。長らく民主的な統治を貫いてきた国が、これほど突然、一八〇度方向転換したことをどう説明できるか？ チリのように、いまわしい出来事を経験してから日が浅い国家は、その過去にどう対処すべきか？ 本書のテーマである国家的危機とそれにともなう変化は、チリではどのように展開したのか？ 政府の経済政策や政治的妥協に関しては大きな選択的変化があった。これまで考察した事例に共通するテーマも見受けられる。たとえば、公正な自国評価あるいはその欠如、行動の自由あるいはその欠如、同盟国からの支援あるいは同盟国との対立、手本となる他国、もしくはなり得る他国の存在などだ。歴史家が長きにわたり議論しつづけている「きわめて特異な人格の指導者は歴史の流れを変えるか」という疑問を、チリの二人の指導者は突きつける。

本章で取り上げるチリの事例は、多くのアメリカ人の読者に恐ろしい未来を連想させるかもしれない。チリもアメリカと同様、長らく民主主義を貫いてきた。一九六七年当時、チリの人々は自分たちの民主主義の伝統が独裁者による統治に道を譲ってしまうなどとは、露ほども考えていなかった。現在の多くのアメリカ人も、自分たちの国にそのようなことが起きるとは考えられないはずだ。だが、チリでは実際に起こった。そうなる兆候は、今、振り返ってみればたしかにあった。はたしてアメリカにも同じことが起こり得るだろうか？

一九七〇年までのチリ

まずはチリの地理、歴史、人々についてみていこう。地図（図4）を眺めると、チリが世界でいちばん細長い国であるということに驚くだろう。東西の幅が平均一七五キロメートルほどしかないのに対し、北から南までは四三〇〇キロメートル以上あり、これはアメリカの東西幅とほぼ同じだ。チリの東にはアンデス山脈が立ちはだかっており、アルゼンチンと隔離されている。北側には世界でもっとも不毛な砂漠が横たわり、ペルーとボリビアとチリとを隔離している。この結果、チリは独立以来、一八三六～三九年と、一八七九～八三年の二回しか戦争をしていない。相手は北隣のボリビアとペルーである。

これだけ南北に長く延びる国でありながら、生産力の高い農地、農業、人口のいずれも、大半が首都サンティアゴがあるチリ中央部の盆地の一部に集中している。サンティアゴからわずか一二〇キロメートルほどのところには、チリの主要港を抱え、南米大陸西海岸最大の港湾都市であるバルパライソがある。このような地理的集中は、これから述べる国民の均質性の高さとも相まって、チリという国の結束に寄与している。チリは分離独立運動が起こりそうな地形にもかかわらず、そのような運動への対処を迫られたことが一度もない。

チリはアルゼンチンとウルグアイとともに南米大陸南部の温帯地域に位置しているため、熱帯地域に位置する他の南米諸国とは違い、ふたつの大きな恩恵を被っている。第一は農業生産性の高さ、第二は疾病負荷の低さである。その結果、チリ、アルゼンチン、ウルグアイの国民一人あたり平均所得は南米トップレベルになっている。アルゼンチンなどは、経済政策がたびたび失敗しているにもかかわらず、その地位を保つことができている。チリの場合、具体的には農業、漁業、銅鉱業（後述する）、製造業がそれなりの豊かさをもたらしている。一八四〇年代には、ゴールドラッシュに沸くカリフォルニアやオーストラリアにチリから大量に小麦が輸出されていた。それ以来ずっと、チリは農業輸出国である。この数十年は水産加工品の輸出において南米ではトップ、世界でも有数の地位を占めている。また製造業は、中南米諸国のなかではめざましい発展を遂げた。

つぎにチリの歴史と国民についてみていく。ヨーロッパ人がこの地にやってくる以前、現在のチリのあたりには、アメリカ先住民が点々と暮らしていた。チリより北の、現在のボリビア、ペルー、エクアドルにあたるところには、豊かで人口も多い強力なインカ帝国が栄えていた。だが、インカの文化や政治はチリにおよんでいなかった。中南米の大半の国々の場合と同様、一五四〇年代はじめにスペイン人がチリにやってきて征服し、この地に住みついた。彼らはアフリカから奴隷を輸入することはほとんどなく、一方で先住民との結婚は盛んにおこなった。その結果、チリは他の南米諸国とは違って、民族的同質性が高く、生粋の先住民やアフリカ系は少ない。チリ人の圧倒的多数は、スペイン系の白人もしくはメスチーソ（スペイン人と先住民との混血）である。ほとんどがカトリック信徒であり、スペイン語話者だ（他の南米諸国では、多くのマイノリティが先住民の言語を話す）。チリの先住民のうちもっとも人数が多いのはマプチェ族だが、全人口に占める割合は一％にすぎない。チリの人口のうち、スペイン人あるいは先住民を祖先に持たない人はごくわずかである。

こうした地理、歴史、人口についての条件が重なり、チリは非常にまとまりのある国家となった。このことは歴史的にプラスにはたらき、他の南米諸国に比べて過去には動乱が少なかった。しかしチリは他の南米諸国と共通する重大なマイナス要因を抱えていた。スペイン人入植者の多くは広大な土地をそれぞれに所有したのである。対照的に、北米に入植したヨーロッパ人たちは小規模な農地を所有した。この違いから、アメリカやカナダではヨーロッパ人の入植直後から、広範な基盤を持つ民主主義的政府が確立されたのに対し、チリではごく少数の支配層が、土地、富、政治権力を寡占した。政治権力の寡占はチリの歴史で根本的な問題となってきた。

非妥協的な寡頭制政治の支配者と、台頭する他の階級との潜在的軋轢は、政治的妥協で沈静化することも、政治的停滞で解決されないこともあった。チリで政治的停滞が悪化したのは一九二五年施行の憲法で、大統領選、上院選、下院選がそれぞれ違う年に実施されることが定められてからだ。これは権力の均衡を図るという立派な目的のために導入されたが、現実には選挙ごとに優勢な政党が入れ替わり、大統領を擁する党、上院と下院の第一党がつねにばらばらという状態になった。さらに選挙の仕組みがふたつ変更されたことで、寡頭制支配層の政党から票が左派勢力に流れた。ひとつめは女性参政権の付与で、一九三四年に地方自治体選挙で、ついで一九四九年に大統領選で実現した。もうひとつは、投票方式である。チリでは公開投票がおこなわれており、地主が小作人たちの投票先を監視して圧力をかけやすかった。そのため一九五八年に秘密投票が導入されると、選挙は左派有利になった。

チリ政治は三つの政党グループ（左派、中道、右派）で構成され、各勢力はほぼ拮抗《きっこう》していた。そのため政権は左派と右派のどちらが中道勢力の引き込みに成功したかで変わった。この三つの政党グループのなかには、それぞれ急進派と穏健派がいて、勢力争いをしていた。たとえば、左派の穏健派（正統派共産主義者を含む）が憲法にのっとった改革をしたいと考えていたのに対し、急進派は性急な革命を望んでいた。一九七三年までの近現代のチリでは、軍部が政治に介入することはなかった。

私がチリで暮らした一九六七年当時、直近の大統領選は一九六四年だった。その際には、中道派のエドゥアルド・フレイ・モンタルバが圧倒的多数で大統領に選ばれた。最有力候補が相対多数しか票を獲得できず過半数におよばないことが通例のチリでは、これは非常に例外的だった。フレイは善良で誠実な人物だと考えられていた。マルクス主義的政策と急速に力をつけてきた左派連合に対する警戒感から、右派支持層の票の多くがフレイに流れた。さらに一九六五年の下院議員選挙でも、フレイの率いる党が過半数議席を握った。これによりフレイが大改革を実行して政治的停滞に終止符を打つことへの期待が高まった。

フレイ大統領はすばやく動き、アメリカ資本のチリ銅鉱山会社の株式五一％を政府が買い取れるように法案を通した。公共事業への投資を増やし、貧困層の教育機会を拡大させた。またアメリカからの資金援助に関しても、中南米において国民一人あたりでもっとも多く援助を獲得した。農地改革も進めて大地主の土地を分割した。しかし、それまで長くつづいていた政治的停滞のあおりで、フレイ大統領の社会改革には歯止めがかかってしまう。右派政党の側からすれば、フレイ大統領の改革案はあまりにも過激だった。それに対し、左派政党はもっと強力な改革を望んだ――チリ政府が銅鉱山会社にもっと権限を持ち、政府の投資をもっと増やし、もっと大胆に土地の再分配をおこなうべきだと考えていたのである。フレイ政権下でも依然としてストライキ、インフレ、品不足がつづき、経済状況は厳しかった。私がチリに滞在した当時、肉は慢性的な品薄状態で、鯨肉や硬くて食べられない牛肉ですらめったに買えず、肉屋でいつでも手に入るのは羊の目玉だけというありさまであった。路上強盗の被害に遭った友人たちもいる。一九六九年には、チリ政界の右派、左派、中道派のいずれも、政権に対し大いに不満をくすぶらせていた。

アジェンデ

一九七〇年以降、チリを率いたのはフレイについで大統領に就任したサルバドール・アジェンデとアウグスト・ピノチェトの二人である。彼らは政治家としても個人としてもまったく対照的であり、少しでも似ている部分があるとすれば、彼らの行動の不可解さである。今日にいたるまで、その不可解さは解き明かされないままだ。

まずアジェンデについて、公開されている情報と、彼とその家族をよく知るチリ人の友人から聞いた話にもとづいて人物像をさぐっていこう。アジェンデはチリの中産階級でも上位の家庭に生まれ、金銭的に恵まれ、教養があり、理想主義的で、演説がうまく、人柄は魅力的で、まさに一線で活躍するにふさわしい人物であった（口絵4・1）。すでに学生時代にはマルクス主義者であると宣言し、チリ社会党の結成に加わったが、チリ社会党はチリ共産党よりもさらに左寄りの急進的な党だった。アジェンデ自身は武力による革命ではなく民主的な手法でマルクス主義政府を打ち立てることをめざしており、チリにおける社会主義の基準では穏健派とみなされた。医学部を卒業したアジェンデは三一歳の若さで保健大臣に就任し、仕事ぶりを高く評価された。大統領選には一九五二年、五八年、六四年に出馬していずれも敗北し、そのうちの二回は大差をつけられて惨敗した。一九七〇年、アジェンデは社会党、共産党、急進党、中道政党が結成した人民連合の統一候補として大統領選に四度目の出馬をするが、過去三回落選していた彼は泡沫候補同然の前評判だった。

一九七〇年の大統領選の結果、アジェンデは僅差で最高得票を獲得した（三六％）。彼に票を投じなかった有権者のほうがはるかに多かった（六四％）が、右派連合（三五％）。アジェンデの得票率との差はわずか一・四％！）と中道連合（二八％）に票が割れた。アジェンデの得票は過半数に届かなかったので、当選には議会の承認が必要だった。議会は報道の自由など自由を保障するための憲法の修正を条件としてアジェンデの当選を認めた。アジェンデは性格にも言動にも周囲に脅威を与えるようなところはなかったが、大統領選の投票結果が判明するとすぐに、アメリカ政府はチリ議会に彼の大統領就任を承認しないよう圧力をかけた(その企ては不調に終わる)。私の友人の一人は、アジェンデ政権の政策に強い危惧を抱いて一家で国外への移住を決めた。選挙で穏健派大統領が選ばれたことのいったい何が、これほど強い拒否反応を引き起こしたのか。

アジェンデと彼を擁立する複数の政党は、マルクス主義の政府をチリに打ち立てることを目標として掲げていた。チリの右派と中道派、軍部、そしてアメリカ政府をぞっとさせるのに十分な目標だ。ソ連が崩壊し東西の冷戦が終結してからすでに数十年が過ぎた今、一九四〇年代、五〇年代、六〇年代を実際に体験していない若い読者には想像しづらいだろうが、チリにマルクス主義の政府が誕生することは、チリの右派や軍部、アメリカ政府にとってとうてい容認できない、なんとしても阻止すべき事態だったのである。第二次世界大戦後、ソ連は世界の覇権を握る政策を打ち出し、独自に原子爆弾、水素爆弾、大陸間弾道ミサイルを開発した。さらにソ連は、一九四八年、自由民主主義陣営が統治する西ベルリンに向かうすべての陸路を封鎖して兵糧攻めにしようとした。チエコスロバキア、東ドイツ、ハンガリー、ポーランドに影響力を行使して共産主義政権を成立させ、反政府運動に対しては血の雨を降らせて鎮圧した。ソ連の軍事力を後ろ盾として、東欧では独裁政権がつぎつぎに誕生していったのである。

何にも増して危機的だったのは、キューバでフィデル・カストロが打ち立てた共産主義政権が、ソ連のフルシチョフ首相と協力して、キューバに核弾頭を装備したソ連製の弾道ミサイルの配備をはじめたことである――アメリカ本土からたった一五〇キロメートルほどの場所に。一九六二年一〇月のあの一週間は、史上もっとも世界が核戦争勃発に接近した、恐ろしい日々であった（口絵4・2）。実際にあの日々を体験し、記憶できる年齢に達していた人々は、けっして忘れることはないだろう。この危機の後、アメリカとソ連の双方は機密情報だったものを少しずつ開示し、あの当時、世界は私たちの想定よりももっと滅亡に近づいていたことがわかってきた。当時のアメリカ軍幹部は、キューバにすでに一六二発以上のミサイルが配備されている事実はつかんでいたが、ミサイルに装備する核弾頭はまだ運び込まれていないと考えていた。しかし核弾頭の多くは、すでにキューバに届いていた。その事実をアメリカ軍は知らずにいたのである。

キューバ危機の後、ソ連は強力な核兵器と大陸間弾道ミサイルの開発計画にさらに拍車をかけた。対するアメリカは、西半球の共産主義政権をけっして許してはならないと肝に銘じた。新たな共産主義政権の誕生を許してしまえば、アメリカの国益を著しく損ねたとしてアメリカ大統領はただちに弾劾され、職を追われることになっただろう。実際、ケネディ大統領は、キューバからソ連のミサイルを撤去させることに失敗すれば弾劾されると警告されていた。一九六〇年代から、アメリカはベトナムをはじめとする東南アジア諸国における共産主義の脅威に、強い危惧を抱いていた。そしてチリの右派、中道派、軍部もアメリカと同じく、自国での共産主義政権の誕生を断固阻止する構えだった。彼らはキューバに起きたこと、カストロが政権についてからのキューバで反共産主義者の身に起きたことをみていたのだ。チリで同じ歴史を繰り返すわけにはいかない、という思いだった。

アメリカがチリに関して懸念する材料はもうひとつあった。チリの銅鉱山会社である。チリ経済のもっとも大きな分野を占める銅鉱山会社は、アメリカが所有し、アメリカの出資で銅山の開発がおこなわれていた。一九世紀のチリには、自力で銅山を開発する資金も技術もなかったからである。フレイ政権下で、チリは銅鉱山会社の株式の五一%を(対価を支払ったうえで)取得した。アジェンデは残りの四九%を対価の支払いなしに接収するのではないかと、アメリカは懸念していた(結果的に、アメリカの予想は的中した)。そこで一九六〇年代以降、アメリカは「進歩のための同盟」と称する事業を通じて、チリを含む中南米諸国の中道改革派を支援し、中道改革派の政党が政権を握っている国に多額の経済支援をおこなった。それにより左翼活動家が革命を企てることを抑止しようというもくろみだった。アメリカからもっとも多くの開発援助費を受け取ったのは、フレイ政権下のチリだった。

こうした状況下で大統領に就任したアジェンデは、どのような政策を打ち出したのだろうか。大統領選で自分に票を入れた国民はわずか三六%、自分の当選をチリの軍部とアメリカ政府が阻止しようとしていたことを承知したうえで、アジェンデはあえて譲歩も手加減も妥協もせず、反対勢力にはとうてい受け入れがたい政策を推し進めた。まずは銅鉱山会社の接収である。議会の全会一致を取り付け、アメリカ資本の銅鉱山会社を補償金なしで接収して国有化した。当然ながら、これにより超大国を敵にまわすことになった(補償金を払わないことについて、アジェンデはこう正当化した——一定以上の収益率を超える「超過利潤」を会社はすでに得ており、補償金からこの金額を差し引くと、支払うべきものはなくなる、と)。アジェンデはさらに、海外資本の大手企業をつぎつぎに国有化した。また、多数のキューバ人をチリに入国させたり、フィデル・カストロから贈られたマシンガンを携帯したり、カストロを招待して五週間も滞在させたりするなど、チリの軍関係者をおおいに動揺させた。さらに物価凍結をおこない(靴ひもといった廉価な消費財まで)、市場経済から社会主義的な計画経済に移行させ、賃金をたっぷり引き上げ、財政支出を大幅に増やし、それによって発生した財政赤字には紙幣を増刷して対応した。フレイ大統領の農地改革をさらに進めて大農園を接収して農民の協同組合を設立した。農地改革を含めアジェンデがおこなった改革は、当初の趣旨は良かったものの、やりかたがあまりにも杜撰《ずさん》だった。たとえば、私の友人は当時一九歳で、大学で経済学を学ぶ学生だったが、チリ国内の消費財の価格を設定する責任者に任命された。別の友人はアジェンデの政策について、こんなふうに評した。「アジェンデの発想は良かったが、うまく実行できなかった。チリが抱える問題を正しく認識していたのに、選んだ解決法が間違っていた」

アジェンデの政策がもたらしたのは、広範囲にわたる経済の混乱、暴力、アジェンデへの不支持だった。唯一の財政赤字対策が紙幣の発行だったためハイパーインフレを引き起こし、額面上の給料は上がってもインフレ調整後の実質賃金は一九七〇年以前の水準に戻ってしまった。国内外からの投資も、海外からの援助も、いっさい途絶えた。貿易赤字は増大する一方だった。消費財は品薄になり、トイレットペーパーすらなかなか手に入らなかった。からっぽの陳列棚と長い行列は見慣れた光景となった。食糧の配給も、やがて水の割当すら厳しくなった。本来、アジェンデの支持層だった労働者が反対勢力に加わるようになり、全国規模のストライキへとつながっていった。とりわけ銅鉱山労働者とトラック運転手のストライキは、チリの経済に深刻な打撃を与えた。街では暴力沙汰が頻発し、クーデターの噂が広まった。アジェンデ支持層の急進的な左派は武装しはじめた。右派は「Yakarta viene」つまり「ジャカルタが来るぞ」と呼びかけるポスターを街に張ってまわった。第5章で取り上げるが、一九六五年、インドネシアでは右派による共産主義者の大量虐殺がおこなわれた。同じことをチリの左派に対してもやるぞと右翼が公然と威嚇したのである。そして実際に、それは威嚇では終わらなかった。ついには、チリで強い力を持つカトリック教会までが反旗を翻した。発端はアジェンデが提案した教育改革である。協調性があり人のために尽くせる「新しい人」づくりをめざし、義務教育学校の授業で子どもたちに畑で肉体労働をさせるというカリキュラムを、公立学校だけでなくカトリックの私立学校にまで強制しようとしたため、教会はこれに反発したのである。

こうして迎えた一九七三年、クーデターが勃発した。チリ人の私の友人の多くはこう振り返る。クーデターは避けられなかった、だが、他のやりかたがあった、と。経済専門の友人は、アジェンデの失脚について、つぎのように解説してくれた。「失脚をもたらしたのは、ポピュリズム的手法に頼った経済政策だ。他国での失敗例はいくらでもある。この手法は短期的には利益を生むが、それはチリの未来を抵当に入れて借りたものにすぎず、待ち受けるのは制御不能なインフレだ」。チリではアジェンデを慕う人も多く、聖人扱いもされた。しかし、聖人の美徳が必ずしも政治家としての手腕に結びついて成功につながるわけではない。

本章のはじめのほうで、私はアジェンデの行動が不可解であると述べた。なぜ不可解な行動をとったのか、私は今も問いつづけている。政治家としての経験を十分に備えた穏健派の人物が、なぜ、大半のチリ国民とチリの軍部の反発を買うとわかっている過激な政策を遂行したのか。チリの友人たちは、さまざまな可能性について一緒に考えてくれたが、まだ結論は出ない。ただ、アジェンデは過去の政治上の成功体験をもとに、自分には反対意見を鎮めることができると思っていた可能性はある。アジェンデは保健大臣として成功をおさめた。大統領選で当選した際には、承認を渋る議会の説得に成功した。自分の経済政策の足かせとならない範囲で憲法修正に応じたのである。補償金を支払わずに銅鉱山会社を接収することにも成功し、すべての勢力に高く評価された。そして今度は、陸海空の総司令官三人を入閣させれば軍部を懐柔できると考えた。もうひとつ考えられるのは、アジェンデは的確に情勢を判断していたが、もっとも急進的な支持者たちからの圧力により過激な手段をとらざるを得なかったという可能性だ。左翼革命運動（ＭＩＲ）はすぐにでも革命を起こして資本主義国家としてのチリを倒すことをめざしていた。彼らは武器を確保し、「人民を武装させよ」というスローガンを掲げ、アジェンデは弱腰だと非難した。「あと数年辛抱して待ってくれ」とアジェンデが懇願しても、つっぱねた。

今挙げたふたつの可能性のどちらか、あるいは両方がアジェンデの真意を説明しているかもしれないが、おそらくそれだけではない。結果論としてではなく、当時のアジェンデは現実を的確に評価できないまま政策を打ち出していたように、私には思われるのだ。

クーデターとピノチェト

クーデターが起こるだろうという噂は前々からあったが、一九七三年九月一一日、ついに実行に移された。その一〇日前に、陸海空三軍すべてが計画に合意していた。アメリカのCIAはアジェンデの反対勢力をつねに支援し、彼を政権から引きずり降ろそうと画策していたが、このクーデターを遂行したのはCIAではなくチリ人自身である。CIAがチリの問題にさまざまに介入してきたことを暴露したアメリカ人も、そのことは認めている。大統領官邸が置かれたサンティアゴのモネダ宮殿をチリ空軍が爆撃し、陸軍が戦車で砲弾を浴びせた（口絵4・3）。望みが絶たれたことを知ったアジェンデは、フィデル・カストロから贈られたマシンガンでみずから命を絶った。じつは、私はアジェンデが本当は自殺ではなくクーデターを起こした兵士に殺されたのではないかと思っていた。ところが、軍政が終わって復活した民主主義政権が調査委員会を組織して調査した結果、アジェンデは間違いなく自殺を図り、その場には彼以外だれもいなかったことが報告された。その結果を裏付ける話を、チリ人の友人からも聞いた。その友人の知り合いの消防士は所属する消防隊の隊員たちとともに、燃えている官邸に飛び込み、最後までアジェンデを支えた人々に会ったそうだ。そのうちの一人は、生前のアジェンデを最後にみた人物であった。

クーデターに胸を撫で下ろした人々は多く、中道派、右派、中流階級の多く、そしてもちろん富裕層は大いに支持した。アジェンデ政権下のチリは経済が混乱状態に陥り、政府が打ち出す政策はまったく役に立たず、街では暴力が幅をきかせ、もはや限界に近づいていた。いずれ、一九七〇年代以前のように中流階級と上流階級による文民政府が復活するまでの移行段階と捉えた。あるチリ人の友人から、クーデターからわずか三カ月後の一九七三年一二月に開かれた食事会について聞いたことがある。軍事政権がどのくらいつづくのかという話題になったとき、一八人の出席者のうち一七人までが二年くらいだろうという意見だった。残りの一人が七年というと、他の出席者はばかばかしいといって一蹴《いっしゅう》した。チリではそんなことはあり得ない、過去の軍事政権はいずれもすぐに文民政府に取って代わられている、と口をそろえていったそうだ。今回の軍事政権が一七年もつづくことになろうとは、その食事会の出席者はだれ一人予想もしなかっただろう。軍事政権は、すべての政治活動を停止させ、議会を閉鎖し、左派政党ばかりか中道派のキリスト教民主党の活動まで全面的に禁止した（中道派の人々にとっては驚きの事態であった）。さらに国内の大学すべての運営権を握り、司令官クラスの軍人を学長に任命した。

偶然ともいえる成り行きで軍事政権のトップについたのは、実行直前にクーデターに加わった人物で、クーデターの計画にはかかわっていなかった。それがアウグスト・ピノチェト将軍である（口絵4・4）。クーデターのわずか二週間前、チリ陸軍は軍の政治への介入に反対していた総司令官を辞任に追い込んでいた。それまで首都サンティアゴを含む軍区の司令官を務めていたピノチェトが、当然のように総司令官に昇格した。彼は、その時点でも比較的高齢だった（五八歳）。チリ陸軍の他の将軍や三軍の司令官にとってピノチェトは同僚であり、どんな人物かよく理解しているつもりだった。CIAも彼についてはは広範な情報を集めており、やはりよく理解しているはずだった。CIAの人物評価では、ピノチェトは寡黙、穏やか、誠実、温厚、柔和、親しみやすい、勤勉、実務的、宗教心に篤《あつ》い、質素なライフスタイル、愛情深く寛容な父親であり夫で、軍とカトリック教会と家族以外にはこれといった関心はない。要するに、クーデターを率いるようなタイプの人物ではなかった。軍事政権は対等なメンバーで構成される軍政評議会のかたちをとり、指導者は輪番制で交代するはずだった。ピノチェトが最初の指導者に選ばれたのは、おもに、最年長であり、チリで最大規模の軍隊（陸軍）の総司令官であったためだが、おそらく、だれもがCIAの評価と同じくピノチェトを無害な人物とみなしていたからでもあるだろう。軍事政権発足時には、ピノチェト自身が軍事政権の指導者は輪番制で交代すると宣言している。

ところが任期終了を迎えても、ピノチェトは指導者の座を譲ろうとはしなかった。それどころかみずから立ち上げた諜報機関を使って、軍事政権のメンバーを威圧した。政権内の意見の衝突やもめごとは幾度となく起きたが、ピノチェトはけっして譲らなかった。彼がこれほどの冷酷さを持ち合わせていたとは、そして強権ぶりを発揮するとは、軍事政権のだれも、そしてCIAも予想していなかった。ピノチェトはだれしもの予想を裏切って、いったん握った権力をけっして手放そうとはしなかった。その一方で、温厚な老紳士、敬虔なカトリック教徒というイメージは保ちつづけた。国家の統制下にあるメディアを使い、子どもたちと過ごしたり教会に通ったりする姿を報道させたのである。

一九七三年九月一一日以降のチリでの非道なおこないは、ピノチェトという人物を抜きにしてはとうてい理解できない。背景に世界情勢の大きな流れがあるとはいえ、一九三〇年代と四〇年代のドイツにおけるヒトラーと同じく、ピノチェトも歴史上の特異な指導者の一人であった。彼はアジェンデ以上に不可解な人物だった。アジェンデの不可解な行動を解く手がかりを先に二通り述べたが、ピノチェトの残酷なおこないに関して納得のいく説明を、私はいまだに知らない。あるチリ人の友人が私に語ったように、「ピノチェトの心理は謎」だ。

軍事政権が権力を握ると、アジェンデの支持母体であった人民連合の指導者たち、左派系とみなされた人々（大学生やチリの有名なフォルクローレ・シンガー、ビクトル・ハラら）を拘束し、文字通りチリの左翼を消滅させることをめざした（口絵4・5）。最初の一〇日間でサンティアゴの二カ所の競技場に何千人もが連行され、尋問され、拷問を受け、殺害された（ハラの遺体は汚い運河で発見されたが、遺体には四四発もの弾痕があった。両手の指はすべて切り落とされ、顔は激しく変形していた）。クーデターから五週間後、ピノチェトは将軍を呼び、チリの各都市をまわってくるようにとじきじきに命じた。政治犯と、軍がまだ殺せずにいた人民連合の政治家を殺害せよと命じたのである。これは後に「死のキャラバン」として知られるようになる。軍事政権はあらゆる政治活動を禁止し、議会を閉鎖し、大学を占拠した。

クーデターから二カ月後、ピノチェトは、国家の諜報機関と秘密警察の役割を果たすDINA（国家情報局）の前身となる組織を創設した。組織を率いる長官はピノチェトに直接報告することになっており、この機関が中心となってチリの弾圧がおこなわれていく。残忍な手法をとることで知られ、チリ軍の他の諜報機関と比べて残虐さが際立っていた。各地に収容所をつくり、新しい拷問方法を考案し、チリの人々を「消して」いった（痕跡をいっさい残さずに殺害した）。「ベンダ・セクシー」と呼ばれる収容所は性的虐待を使って情報を引き出していた。たとえば、収容者の家族全員を拘束して、収容者の前で性的虐待を加えるのだ。その方法はあまりにもおぞましく、とても活字にはできない。ネズミや訓練した犬も使われた。サンティアゴのそのような収容所のひとつ、ビジャ・グリマルディは改装されて博物館になっている。胃が丈夫で、悪夢にうなされない自信があれば、見学しても大丈夫だろう。

一九七四年、DINAはチリ国外に活動範囲を広げた。最初の標的は、クーデターに加わることを拒否した元チリ陸軍総司令官カルロス・プラッツ将軍で、アルゼンチンで車爆弾をしかけて妻のソフィアとともに殺害した。プラッツが将来的に脅威になりかねないことをピノチェトは恐れたのだ。つぎにDINAは政府主導の国際テロ、「コンドル作戦」を開始した。チリ、アルゼンチン、ウルグアイ、パラグアイ、ボリビアの秘密警察の長が集まって協議し、国境を越えて亡命者、左翼活動家、政治家などを捕らえるために協力する体制ができた。後に、ブラジルもこれに加わる。何百人ものチリ人が居場所を突き止められ、南米各国およびヨーロッパで殺害された。アメリカでも一九七六年に一人が犠牲になっている。ワシントンDCのホワイトハウスからわずか一四ブロックのところで車爆弾が爆発し、元外交官のオルレンド・レテリエ（アジェンデ政権では防衛大臣を務めた）が殺され、その際にアメリカ人の同僚も一人巻き添えになった。先に述べたように、二〇〇一年にワールド・トレード・センタービルが攻撃されるまで、アメリカ国内でアメリカ人が外国のテロリストによって殺されたのは、知られている限りこの一例のみである。

一九七六年の時点でピノチェト政権はすでにチリ人を一三万人逮捕していた。これはチリの人口の一％に相当する。大半の人々は後に釈放されたが、何千ものチリ人、四人のアメリカ人、それ以外にも外国人がＤＩＮＡをはじめとする政府の機関によって殺害されたり「消された」りした（ほとんどが三五歳未満だった）。殺す前には情報を引き出すという名目でしばしば拷問がおこなわれた。じつのところ情報のためなのか、単にサディスティックな嗜好を満たすためだったのかは定かではない。この問題について私と議論したチリ人の学生たちは、拷問には両方の理由があったのではないかと述べた。国外に逃れたチリ人は約一〇万人にのぼり、その多くは祖国に戻ることはなかった。

かつて民主的だった国が、いったいなぜ、ここまで非道な国に成り果てたのか。チリの歴史において、軍による政治介入はこれが初めてではないが、これほど長期にわたり、多くの人が殺害され、残虐であったことはない。チリでは二極化が進んでいた。暴力沙汰が増え、政治的妥協は破綻した。アジェンデ政権下では極左の活動家が武装し、極右勢力は「ジャカルタが来るぞ」と大量虐殺を示唆する状況にまでいきついた。アジェンデの社会主義国家構想とキューバとの緊密な関係に対し軍は、過去の左派による国家構想よりも懸念を抱き、その実現を阻止しようと動き出したのである。チリ人たちと話してみると、彼らはもうひとつの要因としてピノチェト自身を挙げた。ごくふつうの見た目の彼は温厚で敬虔なカトリック教徒の老紳士というイメージをつくりあげていたが、それとは裏腹の特異な人物であったというのだ。彼と残虐行為を直接結びつける資料はほとんどない。動かぬ証拠として挙げられるのは、死のキャラバンに将軍を送り出した際に与えた命令ぐらいだろう。チリの右派の人々の多くは、ピノチェト自身が拷問や殺害の命令を下したことはないと今も信じている。大虐殺を命じたのは他の将軍や指導者であるという。しかし、ピノチェトが毎日のように、あるいは週に一度でもＤＩＮＡの長官と会っていないとは考えられないし、ピノチェトから明確な命令がないまま、大勢の軍関係者が日常的に拷問をおこなったとは思えない。

こうしてみるとピノチェトはヒトラーのような、歴史を変えた邪悪な指導者であるようにみえる。だがチリの軍による犯罪行為すべてをピノチェトのしわざとすることはできない。彼がみずからの手でだれかを撃ち殺したり拷問したりしたと示唆する人物は、これまでに一人も現れていない。ＤＩＮＡではもっとも多いときで四〇〇〇人が働いており、尋問、拷問、処刑をおこなった。しかしそれを根拠として、チリの人々が他の国の人よりとくに邪悪だと解釈するつもりはない。どこの国にもソシオパスは数千人という規模で存在している。彼らに非道なことをおこなうよう命じたり、やってもいいと許可したりすれば、実行するだろう。イギリスやアメリカなど、一般的に邪悪とは考えられていない国でも、刑務所に入れられた人間を冷酷に扱う看守や刑務官はいる――そういう扱いをするよう命じられていなくても、だ。もし彼らが非道な扱いをしろと明確に命じられたら、どのような行動に出るか、想像に難くない。

「ノー!」運動以前の経済

チリの左翼勢力を撲滅することに加え、ピノチェトの独裁政権が注力したのはチリ経済の立て直しである。政府の介入をいっさいやめて、自由市場の原理にもとづいた経済への転換を図ったのだ。経済の萎縮《いしゅく》、インフレ、失業者の増加はピノチェトが政権をとってからもつづいたが、政権発足から一年半後にいよいよ方向転換が実現した。新自由主義の経済学者グループを顧問に迎えて経済政策の決定や運営を任せたのである。顧問の多くがシカゴ大学の経済学者ミルトン・フリードマンの弟子だったことから、「シカゴ・ボーイズ」と呼ばれた。彼らは自由企業、自由貿易、市場志向、均衡予算、低インフレ、チリ国内企業の近代化、政府による介入の低減を基礎とした政策を策定した。

南米の軍事政権といえば、経済をみずから統制して自分たちに利益を誘導するものだ。政府の統制が利かない自由市場は好まない。それだけに、チリの軍事政権がシカゴ・ボーイズを顧問に迎えたことは意外であり、なぜそうしたのかは今もなお、はっきりしない。ピノチェトがいなければ、それは実現しなかったかもしれない。なぜなら軍の幹部からは、政策に反対する声も出ていたからだ。反対していた軍政評議会のメンバーである空軍のグスタボ・リー将軍は、一九七八年にピノチェトに引退を強要された。シカゴ・ボーイズ起用の理由として、ミルトン・フリードマンの一九七五年のチリ訪問を挙げる人もいる。このとき、フリードマンはピノチェトと四五分にわたって会談し、さらにそれを補うためにさまざまな提案を盛り込んだ長い書簡をピノチェトに送っている。しかしその会談を終えたフリードマンのピノチェトに対する評価は低かった。会談中、ピノチェトはたったひとつしか質問をしなかったという。実際のところシカゴ・ボーイズによる計画はフリードマンの提案とはかなり異なっており、チリの経済学者たちがすでに作成していた「レンガ」と呼ばれる詳細な経済計画（文書があまりにも分厚いので、そう呼ばれた）を参考にしている部分が多い。

シカゴ・ボーイズを起用した理由としては、つぎのようなことが考えられる。ピノチェトは経済のことは何も知らないという自覚があった。実直な人間という自分のイメージ（事実であってもなくても）には、シカゴ・ボーイズの無駄がなく着実で説得力のある提案がぴったりに思えた。もうひとつ考えられるのは、ピノチェトにとってシカゴ・ボーイズとその政策はアメリカそのものに感じられたのではないかということだ。アメリカは、共産主義者への強い憎悪を共有するピノチェトを強力に支援しており、クーデターでピノチェトが政権を奪取した直後にチリへの借款を再開している。だが、この件に関するピノチェトの真の動機は、彼の他の行動（そしてアジェンデの行動）についてと同様に、わからないままだ。

動機はさておき、自由市場政策を採用したチリではつぎのような変化が起きた。まず、アジェンデ政権下で国有化された企業数百社がふたたび民営化された（ただし銅鉱山会社だけは国営のままだった）。政府機関全体の予算が一括して一五〜二五％カットされ、財政赤字が大幅に減った。輸入関税が平均一二〇％から一〇％に大幅に引き下げられ、チリ経済は国際競争の舞台に踏み出した。このため、かつてチリを牛耳っていた実業家や名のある家柄の有力者からは、シカゴ・ボーイズの政策に反対する声が上がるようになった。そもそも彼らの事業は効率が悪く、国際競争力がなく、高い関税に守られてやってきたが、今や競争にさらされ、刷新が求められたからだ。結果的に、アジェンデ政権の頃には年間六〇〇％だったインフレ率は九％にまで下がり、経済成長率はほぼ一〇％、海外からの投資も激増した。個人消費も増え、輸出に関しても品目・量ともに増加した。

成果だけではなく、手痛い失敗もあった。チリの通貨ペソとアメリカドルの固定相場制を導入したものの、かえって膨大な貿易赤字を生む結果となり、一九八二年の経済危機につながったのだ。また、経済的利益はチリ人に等しく行き渡らなかった。中流階級と上流階級の人々は恩恵を受けたが、それ以外の多くのチリ人は貧困レベル以下の暮らしにあえいでいた。民主主義国家であったなら、富裕層に反対された政策の実行が困難なのと同様、これほど多数の貧しい人々に苦しみを押しつけることは難しかっただろう。圧政的な独裁政権だからこそ、可能だったのである。だが、他の点ではピノチェトに厳しいチリ人の友人からは、こんな言葉を聞いた。「たしかにそうだが、多くのチリ人はアジェンデ政権の経済政策ですでに苦しんでいて、将来良くなるという希望もなくしていたのだ」。軍事政権がつぎの段階に移行するまでの暫定政権ではなく、長く権力の座に留まる見通しが明らかになっても、中流階級と上流階級の人々の多くは変わらずにピノチェトを支持した。経済が改善している（分配は不平等だったが）という理由で、政府が主導する弾圧には目をつぶった。チリ社会で拷問や殺害の対象とならなかった人々は、アジェンデ政権下で生じた経済的混乱から抜け出してほっと一息つき、楽観的な気分がしだいに広まっていった。

多くのチリ人と同じく、アメリカ政府はピノチェトの軍事独裁政権の半分以上の期間にわたって彼を支持した。共産主義者に対する彼の強硬な姿勢をアメリカ政府は高く買い、できる限り経済的軍事的支援を提供した。ピノチェトがおこなっている人権侵害に関しては、アメリカ国民が拷問され殺害されている場合ですら、公に認めようとはしなかった。ヘンリー・キッシンジャー国務長官はつぎのように述べている。「……彼ら〔軍事政権〕の行動は不快ではあるが、この〔ピノチェトの〕政府はアジェンデの政府よりもわれわれにはましなのだ」。こうしてアメリカ政府はピノチェトの残虐行為には目をつぶり、支持しつづけた。この姿勢は、リチャード・ニクソン、ジェラルド・フォード、ジミー・カーターと三代にわたる大統領、そしてつぎのロナルド・レーガン政権のはじめの頃まで変わらなかった。

一九八〇年代半ばを過ぎた頃、アメリカ政府はふたつの理由によりピノチェト支持政策の転換に踏み切った。アメリカ国民に対するものも含め、残虐行為の証拠が積み上げられ、もはや見て見ぬふりをするのが難しくなってきたのが、第一の理由だ。決定的だったのは、サンティアゴでのロドリゴ・ロハス殺害である。アメリカの在留資格を持つ一〇代のチリ人の若者が、チリ軍兵士によって全身にガソリンをかけられ火をつけられるというむごい事件だった。レーガン政権がピノチェト政権に見切りをつけたもうひとつの理由は、一九八二年から八四年にかけてのチリの景気の急激な落ち込みで、これにより、多くのチリ人の心がピノチェトから離れた。一九八四年には景気は回復するものの、大方のチリ人の暮らしは良くならなかったため、左派がふたたび力をつけてきた。カトリック教会も、公然と反ピノチェトの立場を表明した（ピノチェト本人は敬虔なカトリック教徒であったにもかかわらず）。さらに軍部までがピノチェトに不満を抱くようになった。こうなると、アメリカ政府にとってピノチェトは単なる悪人ではなく、アメリカの政治的利益を損なう危険人物となっていたのである。

一九八〇年、軍事政権は、右派と軍部に有利な新憲法と、ピノチェトが続投するために大統領職の任期の八年延長（一九八一年から八九年まで）を提案し、国民投票をおこなうことを決定した。選挙運動は軍事政権によって厳しく管理され、過半数の有権者が新憲法とピノチェトの任期延長に賛成するという結果が出た。その任期が終わりに近づくと、軍事政権は一九八八年にふたたび国民投票を実施すると発表した。大統領任期をさらに八年、つまり一九九七年まで延長するためである。任期満了のときにはピノチェトは八二歳を迎えることになる。

しかし今回の国民投票ではピノチェトは状況を読み誤り、反対派の策略が功を奏して敗北を喫した。世界の注目が集まるなかで、ひそかに不正な選挙活動をおこなうことはできず、投票にも公正性が求められた。アメリカは反ピノチェト派を支援し、さまざまなリソースを注ぎ込んだ。反ピノチェト派は組織的な運動を大がかりに展開して有権者の九二％を選挙人名簿に登録させ、「ノー！」というシンプルなスローガン（口絵4・6）を掲げて巧みな作戦を展開した。「ノー！」運動はみごとに実を結び、五八％の人が反対に投票した。ピノチェトがまったく想定していない結果だった。開票結果が出た夜、ピノチェトは自分の負けを否定しようとしたが、軍政評議会のメンバーはそれを許さなかった。それでも、一九八八年の国民投票の時点で、まだ四二％のチリ人がピノチェトを支持していたのである。

ピノチェト以後

反ピノチェト派は「ノー！」運動で勝利し、一九九〇年に予定される大統領選で権力の座を奪い返すチャンスをつかんだ。しかし「ノー！」運動は一七もの異なる会派が集まって展開したものであり、ピノチェト後にめざす未来像も一七通りであった。このままいけばチリは、第二次世界大戦でドイツと日本に勝利した連合国側の民主主義国家と同じ轍《てつ》を踏む恐れがあった。ウィンストン・チャーチルは全六巻から成る第二次世界大戦回顧録を執筆し、その最終巻『勝利と悲劇』において、「民主主義の国家は偉大な勝利をおさめながら、かつてみずからの息の根を止めそうになった愚行を繰り返すのか」と述べている。このチャーチルの問いかけが、チリにも突きつけられていた。ここで妥協と歩み寄りを示さなければ、かつて多くの同胞の命と民主主義を失った愚行を繰り返すことになる。

ピノチェト政権に反対しながら殺害をまぬかれた左派の人々は、一九七三年頃から国外への逃亡を開始した。一〇万人におよぶ人々が脱出し、亡命生活は一六年もの長期にわたった（一九八九年まで）。それは、歩み寄りを断固として拒んだ自分たちの態度を振り返るには十分な時間だった。チリを出た人々の多くが向かった先は東西ヨーロッパだった。彼らはそこで社会主義や共産主義などの左派系が力を持つヨーロッパ各国がどのように運営され、人々がどんな暮らしをしているのかをつぶさに観察した。亡命先に東欧を選んだチリ人の多くは、理想主義を掲げ非妥協的な左派勢力が実権を握っても国民は幸せになっていないと知り、失望した。西欧に逃れた人々は、穏健な社会民主主義政党が政権を担う国を観察し、高い生活水準と、かつてのチリよりも穏やかな政界の空気を実感した。左翼だからといって過激で非妥協的である必要はない、異なる政治観を持つ人々と交渉し妥協することで、目標の多くを達成できるのだ、と気づいたのである。亡命者たちはソ連の崩壊、東欧の共産主義政権の崩壊を体験した。一九八九年には、中国で民主化を求める人々を政府が武力弾圧し、多くの血が流された事件を見聞きしている。過激主義や共産主義に傾きがちだった左翼系チリ人たちが穏健な考え方になっていった背景には、こうした経験があった。

一九八八年にチリで「ノー！」運動が展開された際には、支持者たちは互いに見解が異なる者同士が協力しなければ勝利はないと実感していた。ピノチェトが依然として実業界や上流階級から幅広く支持されていることを、彼らは理解していた。勝つためには、そういう支持層がピノチェト失脚後も安全であると確信することが不可欠であり、それがなければ、仮に「ノー！」運動が勝利したとしても政権を取るにはいたらないだろうと承知していた。かつて自分たちに残酷な仕打ちをし、許しがたい思想を抱く敵に対して寛容になるのは、ひどくつらいことではあったが、それができなければ左派政権は実現しない。こうして、彼らは「すべてのチリ人のためのチリ」を建設する意思を表明するにいたった。一九九〇年三月一二日、ピノチェト退陣後に初めておこなわれた選挙で民主的に選ばれたパトリシオ・エイルウィン大統領は就任演説で、これを目標として掲げた。

一七の会派が連合して展開した「ノー！」運動が国民投票でみごとに勝利をおさめたことを受けて、会派の左派グループはつぎの課題に取りかかることにした。ともに戦ったキリスト教民主党の中道派の人々に対し、新しい左派政権はアジェンデ時代の左派政権とは違う、社会に恐怖を与えたり過激な政策を実行したりするようなことはないと十分に説明して理解を求めた。そのうえで左派と中道派はコンセルタシオンという政党連合を結成し、大統領選に備えた。一九九〇年の選挙戦に勝利したあかつきには（事実、勝利した）、まずはキリスト教民主党から大統領を出し、以後は左派と中道派が交互に大統領候補を出すという合意がなされた。左派勢力がこの条件を呑んだのは、政権に返り咲くにはそれ以外に方法がないと知っていたからである。

コンセルタシオンは一九九〇年、一九九三年、二〇〇〇年、二〇〇六年とピノチェト退陣後の大統領選で四回連続勝利した。最初の二人の大統領はいずれもキリスト教民主党のパトリシオ・エイルウィンとエドゥアルド・フレイ・ルイスタグレ（エドゥアルド・フレイ・モンタルバ元大統領の息子）だった。その後、いずれも社会党のリカルド・ラゴス、ミチェル・バチェレがつづいた。チリ初の女性大統領となったバチェレは、ピノチェトの軍事政権により収監され拷問を受けた将軍の娘である。二〇一〇年、コンセルタシオンは右派に敗れ、セバスティアン・ピニェラ大統領が誕生するが、二〇一四年には社会党のバチェレが返り咲いた。二〇一八年には右派のピニェラが政権を奪還した。このようにピノチェト後のチリではふたたび民主主義が機能するようになった。中南米では、今なおこういう国は例外的な存在だ。チリは非常に大きな選択的変化を経て、ここにいたったのである。自分と異なる考え方を許容し歩み寄ることの価値を進んで実践し、権力を共有し、交互につかさどるようになった。

非妥協的なやりかたを捨てたこと以外にも、ピノチェト以前の民主主義政権と新しく誕生したコンセルタシオン政権では、経済政策において大きな違いがあった。新政府はピノチェトの自由市場政策の大半を継承している。長期的利点が大きいと評価されたからである。またコンセルタシオン政権はピノチェトの政策をさらに発展させて輸入関税を引き下げ、二〇〇七年にはわずか三％と世界でもっとも低い関税率となった。アメリカおよびEUと自由貿易協定を締結した。軍事政権が進めていた経済政策を引き継いだ以外にコンセルタシオン政権がおもに進めたのは、社会政策への財政支出の増額と、労働法の改正だった。

こうして、一九九〇年の政権交代以降、チリはめざましい経済成長を遂げ、経済において他の中南米諸国をひっぱる存在となった。一九七五年のチリの平均所得はアメリカのわずか一九%にすぎなかったが、二〇〇〇年には四四%にまでなっており、同時期に他の中南米諸国における平均所得が減っているのとは対照的だ。チリのインフレ率は低く、法による社会秩序の安定が保たれ、個人の財産権はしっかり保護されている。一九六七年に私がチリを訪れたときには、いたるところで汚職がはびこり苦労させられたものだが、それもだいぶ少なくなった。経済状況が改善した結果（ある意味では原因でもあるが）、民主主義政権復活からわずか七年で海外からの投資が倍増した。

今日のサンティアゴは、私が知っている一九六七年のサンティアゴとは様変わりしている。超高層ビルが林立し（南米でもっとも高いビルもある）、新しい地下鉄が走り、新しい空港もできた。しかしチリの経済成長がもたらした成果が均等に分配されているとはいいがたい。経済格差はなおも大きく、社会的流動性はまだ低い。富裕層の顔ぶれは変わり、かつての大農園を所有する上流階級に代わって新しいビジネスリーダーが台頭しているが、貧富の差はなおも歴然としている。それでも、チリの経済全体が大幅に改善されているので、富裕層と貧困層の相対的な不均衡はあるものの、絶対的貧困の尺度からすれば、状況ははるかに良くなっている。貧困ラインを下回る生活をしている国民の割合は、ピノチェト政権最後の年には二四%だったが、二〇〇三年にはわずか五%

にまで減った。

ピノチェトの影

一九八八年の国民投票で「ノー！」運動は勝利したが、ピノチェトと軍の影響力を完全に排除することにはならなかった。それには程遠かった。ピノチェトは大統領辞職前に任命されたとおり、終身上院議員に就任し、新しい最高裁判事数人を指名した。軍の最高司令官を務め、ようやく引退したのは一九九八年、八三歳のときである。つまり、民政への移行後も、いつまたピノチェトが軍を率いてクーデターを起こすかという脅威に、政権の指導者はさらされていたということだ。チリ人のある友人はつぎのようにたとえた。「ナチスドイツが一九四五年に降伏した後もヒトラーが自殺しないまま、終身上院議員とドイツ軍の最高司令官をずっとつづけていたようなものだ！」。さらに軍の立場を強める要因があった。ピノチェトが制定した憲法で、チリの国営銅山の売上高の一〇％（売上利益の一〇％ではない！）を毎年、軍事費にまわすという条項が定められていた（現在もこの条項は削除されていない）。おのずとチリ軍の財政基盤は強固なものとなった。外国からの脅威に備えて国を防衛するための予算としては明らかに過剰である。というのも、チリにとって二回目にして最後の戦争が終結したのは一八八三年、一世紀以上も前のことであり、国境は大洋と砂漠と高くそびえる山々で守られ、しかも隣国（アルゼンチン、ボリビア、ペルー）はチリにとって脅威ではない。となれば、軍事力の使用が唯一考えられるのは、おそらくチリ国民に対してなのだろう。

ピノチェト政権で承認された憲法には、右派に有利な規定が三つ含まれていた。第一に、上院の定員三五名のうち一〇名は、公選ではなく大統領が官僚の候補者のなかから選んで任命するが、その候補者リストが右派に属する者だけで構成される可能性は大いにある（陸軍や海軍の元司令官など）。大統領経験者は終身上院議員に任命された。第二に、下院議員は各選挙区から二名が投票で選ばれるが、一人は相対多数で一位になった者、もう一人は得票率が八〇％を超えていなければならないと決められた（この規定は二〇一五年まで有効だった）。これにより、ひとつの選挙区で左派候補二名が当選するのは非常に難しくなった。第三に、憲法改正には有権者の七分の五の賛成が必要とされたが、民主国家では、どんなことであれ有権者の七分の五が賛成するのは非常に稀である（とりわけチリのように連立政党の場合には）。そのためピノチェトが国民投票の結果を受けて大統領職を追われて何十年も経った今も、ピノチェトが修正した憲法がそのまま生きている。大多数の国民はその憲法を違法と考えているにもかかわらずだ。

政府の人間が自国民あるいは外国の市民に対し悪辣《あくらつ》な行為をはたらいたことを、国が認め、償うのは非常に難しく、痛みをともなう。ひとつには、過去はやり直しがきかないからであり、さらに、加害者がまだ健在で何の反省もないまま権力を握りつづけ、幅広い支持を得ているケースが少なくないからである。チリの場合、過ちを認めて償うことはとくに困難であった。まず、一九八八年の国民投票でも進んでピノチェトに票を投じる支持者が相当数にのぼっていた。また、当のピノチェトは、民政に移行した後も軍の最高司令官の座に居座りつづけていた。さらに、軍の責任を追及すればふたたび軍事クーデターが起きるのではないかと、政府が懸念するだけの根拠があった。ピノチェトの息子が取り調べを受けた際と、人権調査委員会が残虐行為について調査を開始した際の二度にわたり、兵士たちが完全武装した姿で街に現れたのだ。明らかに威嚇であり、「通常の訓練」であるという説明を信じる者はだれもいなかった。

ピノチェト退陣後、大統領に就任したパトリシオ・エイルウィンは慎重に事を進めた。彼が「可能な限り」正義を追求すると国民に約束したとき、加害者の処罰を期待していた人々は失望し、彼は婉曲に「正義はおこなわれない」といっているだけではないかと危惧した。しかし、エイルウィンは実際に真実和解委員会を設置し、一九九一年に、殺害されたチリ人、あるいは「消えた」チリ人三二〇〇人の名前を発表した。二〇〇三年には別の委員会が、拷問に関する報告書をまとめた。エイルウィンはテレビ番組に出演し、チリ政府を代表して、涙ぐみながら被害者の家族に許しを請うた。政府主導の残虐な行為を、政権のトップが真摯に謝罪した例は、近現代史においてはきわめて稀である。

もっとも近い例は、ドイツのヴィリー・ブラント首相がワルシャワのゲットーを訪れ、ナチスドイツの犠牲者に心から謝罪したときだ（詳細は第6章で述べる）。

一九九八年、病気療養のためロンドンを訪れていたピノチェトに、イギリス当局が逮捕状を発行し、事態が大きく動く。逮捕状を請求したのはスペインの裁判所だった。非人道的犯罪、とりわけスペイン市民殺害の罪でピノチェトを拘束し、身柄をスペインに引き渡すよう求めていた。ピノチェトの弁護団は当初、殺害や拷問は政府のもとで合法的におこなわれたものであり、ピノチェトは免責されるべきであると主張した。イギリス議会の上院によってその主張が退けられると、今度は、ピノチェトが高齢で身体が衰弱し、人道的見地から拘束を解かれるべきであると主張した。そして、ピノチェトが車椅子に乗っているときだけ撮影を許可した。イギリス当局による軟禁は五〇三日間にわたったものの、最終的にスペインからの身柄引き渡し要求はイギリス内相によって却下された。ピノチェトは衰弱していて裁判での証言には耐えられないという理由だった。一九八二年にイギリスとアルゼンチンが戦ったフォークランド紛争でピノチェト政権がイギリスを支援したことが考慮された可能性もある。ピノチェトはただちに空路チリに帰国した。到着した飛行機から車椅子に乗ったままおろされると、ピノチェトは立ち上がって滑走路を歩き出し、帰国を祝って迎えに集まったチリ軍の将校らと握手した（口絵4・7）。

ところが、チリの右派を愕然とさせる事実が、アメリカ議会上院の小委員会によって暴露される。ピノチェトはアメリカの銀行に一二五の秘密口座をつくり、三〇〇〇万ドルもの隠し金を預けていたのだ。拷問と殺人にはそれなりの理解を示そうとした右派の人々も、この事実には幻滅した。ピノチェトは他の中南米諸国の悪辣な独裁者とは違う、ずっとましだと思っていたのに、公金を横領し蓄財していたのだ。ピノチェトは終身上院議員として訴追をまぬかれてきたが、チリの最高裁判所はその免責特権を剝奪した。アメリカの内国歳入庁に相当するチリの税務当局は、ピノチェトが不正な所得申告により脱税したとして告訴した（当局はアル・カポネの例から着想を得たのだろう。暗黒街の帝王として名を馳《は》せたアメリカの大物ギャングは、殺人、殺人教唆、密造酒販売、賭博場経営、売春組織運営などの罪に問われながらも巧みに有罪判決を逃れたが、最後に脱税の罪で刑務所送りとなった）。ピノチェトは別の金融犯罪や殺人罪でも起訴され、自宅軟禁の処置を受けた。妻も四人の子どもたちも逮捕された。だが二〇〇二年に、ピノチェトは認知症のため公判に耐えられないとされ、二〇〇六年、心臓発作のため九一歳でこの世を去った。

拷問と殺人の罪で起訴されたチリ人は数百人にのぼり、そのうち数十人が刑務所に送られた。DINAの長官であったマヌエル・コントレラス将軍もその一人である。コントレラスは懲役五二六年を宣告されたが、死ぬまで悔い改めることはなかった。チリの高齢の人々のなかには今なお、彼らへの判決は重すぎる、ピノチェトは立派な人物で不当な迫害を受けたと考える人が少なくない。一方で多くのチリ人は、判決は軽すぎるうえに、あまりにも遅きに失したし、訴追された人間はあまりに少なく、高位の人間より下っ端ばかりで、刑務所といってもリゾートホテルのような快適な環境で話にならないと憤っている。たとえば、一九七三年のビクトル・ハラ殺害と一九八六年のロドリゴ・ロハス殺害で、それぞれチリ軍将校一〇人と七人が懲役四二年と二九年を宣告されたのは、二〇一五年である。軍政下でおこなわれた拷問や殺人の恐るべき詳細な証拠を残すため、二〇一〇年、かつて拷問がおこなわれたサンティアゴの収容施設ビジャ・グリマルディがミチェル・バチェレ大統領によって博物館としてオープンした。軍の最高司令官の職にピノチェトが留まりつづけたなら、けっして実現しなかっただろう。

チリの人々は、かつての軍事政権が自分たちの国にもたらした光と影を消化しきれず、いまだに葛藤がつづいている。経済的な成果と、政権主導の犯罪行為とのギャップにどう折り合いをつけたらいいのか、苦しんでいる。このジレンマを解消する手立てはない。いっそ割り切って、経済的なメリットと犯罪は秤にかけられない、軍事政権は業績も残したが残虐行為もおこなった、と潔く認める道もある。しかし、一九八八年に実施された国民投票でチリ国民は、そのふたつを秤にかけるよう迫られた。ピノチェトがさらに八年間大統領職に留まることに関し、全面的な賛成や全面的な反対ができなくても、

「イエス」か「ノー」のどちらかを選択しなくてはならなかった。その結果、ビジャ・グリマルディ博物館の展示が示すおぞましいおこないがあったにもかかわらず、「イエス」と投票した人々は四二％にのぼった。今の若い世代の大部分は、ピノチェトに拒否反応を示す。だがアジェンデ政権とピノチェト政権の両方を経験している世代の胸中は複雑だ。私のインタビューに応じてくれた二組の夫婦にも、それぞれの思いがあった。どちらの夫婦も、インタビューは一人ずつにしてほしいと希望した。この苦しい問題の受け止め方に違いがあるからという理由だった。夫側はそろって、「ピノチェトの政策はチリ経済にプラスだったが、拷問や殺人は許しがたい」という見解だった。それぞれの妻は、「ピノチェトの拷問と殺人は極悪非道だったが、彼の政策がチリ経済に恩恵をもたらしたことは認めざるを得ない」との見解を述べた。

危機の枠組み

国家的危機をもたらす、あるいは防ぐ要因についての本書の枠組みに照らしてみると、チリの事例は多くの要因を示している。

第一に、チリが経験した変化は選択によってもたらされ、しかも規模が大きかった（表1・2の要因3）。まず、軍部の政治介入を最小限に留めるという、長らくつづいた伝統を破った。また経済への政府の干渉については長く賛否が分かれていたが、思い切った政策をとって大きく不干渉へと舵を切った。その後、民政が復活したが、軍政の廃止も選択的におこなわれ、軍政によっておこなわれた自由市場経済への移行に関してはそのまま維持された。これはチリで持続しているふたつの選択的変化のうちのひとつにあたる。じつに驚くべき柔軟性(要因10)といっていいだろう。政権に返り咲いた社会主義者たちは社会主義に固執せず、憎むべき敵であった軍事政権が採用した経済政策を引き継いだ。チリの近現代史を通じて国政を特徴づけていたのは、かたくなに政治的妥協を拒否する姿勢だったが、これに終止符が打たれた。この選択的変化も、チリでは持続しており、少なくともこの数十年間、継続している。

チリは二度にわたる試練と失敗の時期を経て、こうした選択的変化を成し遂げた(要因9)。一度目は、長期におよぶ厳しい経済状態と社会情勢を立て直そうと、アジェンデがマルクス主義政府の樹立をもくろんだときだ。彼は断固として政治的な妥協を拒み、失敗した。二度目は、ピノチェトがやはり妥協を拒み、持続的な軍事政権とみずからの大統領の任期を延長しようともくろみ、やはり失敗したときである。一九八八年の国民投票で彼は目算を誤り、失脚した。

チリは軍事政権による弾圧と、歴史上でも稀な政府主導の残虐行為が一七年つづいたものの、復活を果たすことができた。たしかに、ピノチェト政権の後遺症は今なおチリを苦しめているが、少なくとも立ち直れないほどのトラウマとはならなかった。そのことに、私は素直に感心する。チリ人のナショナル・アイデンティティと強い誇りがそれを後押ししているのは間違いない（要因6）。一九六七年にチリの友人たちが私に語った言葉、「チリは他の中南米諸国とは違う。われわれチリ人は自分のことは自分で決められる」は、今なおチリ人の心情を表している。彼らは他の中南米諸国とは違う存在でありつづけるために、そして優れた自治能力を発揮するために多大な努力を積み重ねてきた。「すべてのチリ人のためのチリ」を建設するというモットーを大事にしてきた。同じチリ人とは認めたくないほど受け入れがたい人間がいても、こればかりは揺るぎないものでありつづけた。チリ国民としての自覚と誇りをみなが共有しているからこそ、泥沼のような政治的停滞から抜け出し、中南米でもっとも民主的で裕福な国として復活できたのであろう。

チリでは、みずからの力に対する現実的で公正な評価と、その欠如の両方がみられた（要因7）。一九七三年にピノチェトと軍幹部がクーデターを敢行した際、彼らは国内外の敵対勢力に対して自分たちが優位に立っていることを正しく認識していた。一方、アジェンデはみずからの力を信じてチリにマルクス主義政府を民主的に樹立しようとしたが、その判断は誤りだった。このふたつの例は、私たちに悲しい真実を突きつける。まともな人間がまともなことをしようとしても成功するとは限らず、悪人が成功をつかむこともあるのだ。

チリの事例は、外からの支援、あるいは支援の欠如の重要性（要因4）、手本から学ぶことの重要性（要因5）を示している。アジェンデの失脚にはアメリカの横やりが影響し、一九七三年のクーデターの直後から、アメリカが経済援助を再開したことが軍政の長期化に影響した。ピノチェトはアメリカの経済を自由市場経済の手本（実際にそうとは言い切れなくとも）と認識していたからこそ、シカゴ・ボーイズの経済政策を採用した。

チリの場合にも、行動の自由のメリットと行動を制約されることのデメリットが影響している（要因12）。チリは山脈と砂漠で隣国と隔てられて、地形的に孤立している。そのためアジェンデもピノチェトも、隣国のアルゼンチン、ペルー、ボリビアからの干渉を気にせずに政策を実行できた。これに対しウガンダ、ルワンダ、東パキスタン、カンボジアなどの独裁政権は、いずれも近隣の国の介入によって倒された。一方でアジェンデ政権は遠く離れたアメリカによって動きを制限された。また、チリ経済の最大の柱である銅鉱業は世界の市況に左右されるので、いずれの政権にとっても制約となった。

ここまではチリの危機について、個人的危機の観点から捉えてきた。ここからは国家に特有の要素（個人的危機にはみられない要素）に着目し、本書で取り上げる他の国とチリの事例を比較検討してみる。

まず、一九七三年の危機は、第5章で論じるインドネシアの一九六五年の危機と同じく国内の問題だった。一八五三年の日本の危機、一九三九年のフィンランドの危機のように、外部からのものではない（チリのクーデターに関してはアメリカからの圧力があったことは事実だが）。チリとインドネシアの場合、政治の二極化、基本的価値観のぶつかり合い、妥協するくらいなら相手を殺すか自分が殺される危険を冒すほうがましだという態度が生んだ国内の危機である。

第二に、平和で穏やかな変化か、それとも暴力革命かというテーマを、チリの歴史にみることができる。ドイツでは暴力革命が二度失敗している。一度目は一八四八年、二度目は一九六八年に暴動が激化したときだ。暴力革命は失敗したが、その際に掲げられた目標の多くは、それにつづく穏やかな変化によって達成された。オーストラリアでは一九四五年から変革がはじまり、暴力的な闘争はいっさいないまま平和的なゆるやかな変化のみで達成された。これに対し一九七三年のチリ、一九六五年のインドネシアでは、暴力に訴える革命的な変化が起きて、その後長く軍政がつづくことになる。だが、いずれの政権も、武力を行使しない抵抗運動で退陣へと追い込まれた。当初は、抵抗運動が成功するとは思われていなかった。仮にピノチェトとインドネシアのスハルトを権力の座から追い落とせと暴力的な反乱が起こっていたならどうだろう。軍は黙っておらず、抵抗運動を制圧しただろう。しかし大勢の人々が街に繰り出して平和裏にデモをする状況では、チリの軍隊もインドネシアの軍隊も銃を向けるわけにはいかなかった。

第三に、チリ、一九六五年のインドネシア、一九三三年のドイツに登場し、明治時代の日本と第二次世界大戦後のオーストラリアにはいなかった突出した指導者の存在である。ピノチェトは突出した悪人でもあった（あくまでも私見だが）。チリの友人たちによれば、一九六〇年代後半から七〇年代はじめにかけてチリの二極化は激しくなる一方で、その状況を打破するのは暴力的な手段しかないだろうと思ったそうだ。一九七三年九月一一日にクーデターが起きる前も、六年間は暴力が増すばかりだった。ただし、一九七三年の食事会の席では、だれもが軍政は二年もつづかないだろうと予想していた。暴力行為があんなにも長くつづくとは、彼らを含めチリの人々は夢にも思っていなかった。クーデター後に殺人沙汰が数日間、あるいは数週間で収まるのではなく、それから何年間も、チリの人々は拷問を受け殺害されつづけた。ピノチェトはほぼ一七年間、権力の座に居座った。そんなことになるだろうとは、一般市民はもちろん、ピノチェトの行動を知り尽くしているはずのふたつの集団にも予想がつかなかった――チリ軍でピノチェトと何十年も仕事をし、ともに政権を打ち立てた軍人たちと、他国の情勢を注視していたCIAである。ピノチェトの冷酷さと権力への執着は、CIAだけでなく軍事政権のメンバーたちをも驚かせた。チリの歴史に登場した他のクーデターの指導者とは、明らかに一線を画していた。ピノチェトという人物の心理は、今なお歴史家たちを戸惑わせている。

過去の悪行に正面から向き合うことを妨げるものは何か？　これがチリの現代史が私たちに示すもうひとつのテーマだ。一九四五年五月、ナチスドイツの軍隊は完全に降伏した。ナチスの指導者たちの多くは自殺し、ドイツ全土は勝利をおさめた連合国に占領された。第二次世界大戦後もドイツ政府には元ナチ党員がたくさん残っていたが、彼らは表立ってナチスの犯罪を擁護することはできなかった。その結果、ドイツはナチスの犯罪に公式に対処するようになる。これとは正反対なのが、インドネシアの例である。一九六五年にインドネシア軍は五〇万人以上のインドネシア人を直接・間接に殺害した。大量虐殺を背後で支えたインドネシア政府は権力を手放すことなく、現在も政権を握っている。大量虐殺から五〇年以上経ったが、インドネシアの人々は今なお、そのことについて公然と語ることにためらいがある。

ドイツとインドネシアの中間に位置するのが、チリのケースである。虐殺をおこなったチリの軍事政権は平和的に民政に取って代わられた。だが軍の幹部は命を奪われることもなく、かなりの権力を維持した。民政移行後の新政府は、軍の犯罪行為の告発になかなか踏み切れなかった。今なお、政府は軍の責任追及には慎重である。なぜか？　それは、ふたたび軍が政権を倒しにやってくるかもしれないからだ。また、今もピノチェトを擁護するチリ人は数多くいる。結局、「すべてのチリ人のためのチリ」とは、戦争犯罪を犯した者を含めてのチリであるということだ。

最後になったが、アメリカでは政治の二極化が進み、そのことを懸念するアメリカ人読者も多いことと思う。チリの現代史を読むと、ますます心配がつのるのではないか。チリには民主主義の伝統が根付いていた。しかし政治的な二極化が進み、妥協への道は開けないまま、暴力により政権が奪われ、独裁体制が敷かれた。それを予見できたチリ人はほとんどいなかった。同じことがアメリカでも起きる可能性はあるだろうか？

とんでもない、と次のように反論する人もいるだろう。「そんなことは起きない！アメリカはチリとは違う。アメリカの軍隊が反乱を起こして独裁体制を敷くようなことは、あり得ない」

たしかにアメリカはチリとは違う。その違いのなかに、アメリカの民主主義の存続を左右するものがある。実際にアメリカの民主主義が終焉を迎えるとしたら、それは軍の幹部が主導する暴動ではないだろう。民主主義にピリオドを打つ方法は他にいくらでもある。この問題については、アメリカについて取り上げる第9章であらためて論じることにする。

チリ再訪

二〇〇三年、私はチリを再訪した。一九六七年以来、初めての訪問だった。私はアジェンデの大統領官邸だったモネダ宮殿に行ってみた。現在は公開されて観光客の人気スポットになっている。だれでも自由に入れると聞いていたが、正面入口にはライフルを持って警備するカラビネーロ（国家憲兵）の姿があった。来場者をみおろせるように高さ五〇センチほどの台に立っている。にこりともせず険しい表情で、用件は何かと私に訊ねた。観光に来たと答えると、通してくれた。けれども、私は気が気ではなかった。あの憲兵が何らかの行動に出ないという保証はない。もしかしたら、私は何か規則を破ってはいないかと、頭のなかで考えをめぐらせた。「ロドリゴ・ロハスにガソリンをかけて火をつけたのも、ああいう警察官や兵士だったのか！」。私は怖くなり、入って一分も経たないうちに外に向かっていた。ピノチェト政権で拷問や殺人に手を染めた人物の告発をチリの民主政権が用心深く進めてきた理由が、前より理解できる気がした。

第5章　インドネシア、新しい国の誕生

あるホテルにて

インドネシアは、人口約二億六〇〇〇万人で、中国、インド、アメリカについで世界で四番目に人口が多い国である。また、世界最多のムスリム（イスラム教徒）を抱える国でもあり、その数はパキスタン、バングラデシュ、イランよりも多い。それだけの国だから、欧米の新聞各紙からの注目度が高いだろうと考えても不思議ではない。

だが、実際のところ「ムスリム」という言葉で西側諸国の人々がまっさきに連想する国はインドネシアではない。今の欧米の新聞でインドネシアが取り上げられることは、非常に稀である。この一五年間でインドネシアのニュースが新聞の一面で報じられたのは、私が覚えている限りでは数回――多くの人が犠牲となった二〇一八年の大地震、海外からの抗議をよそに外国籍の人間を含む数人の麻薬密売人が死刑となった二〇一五年

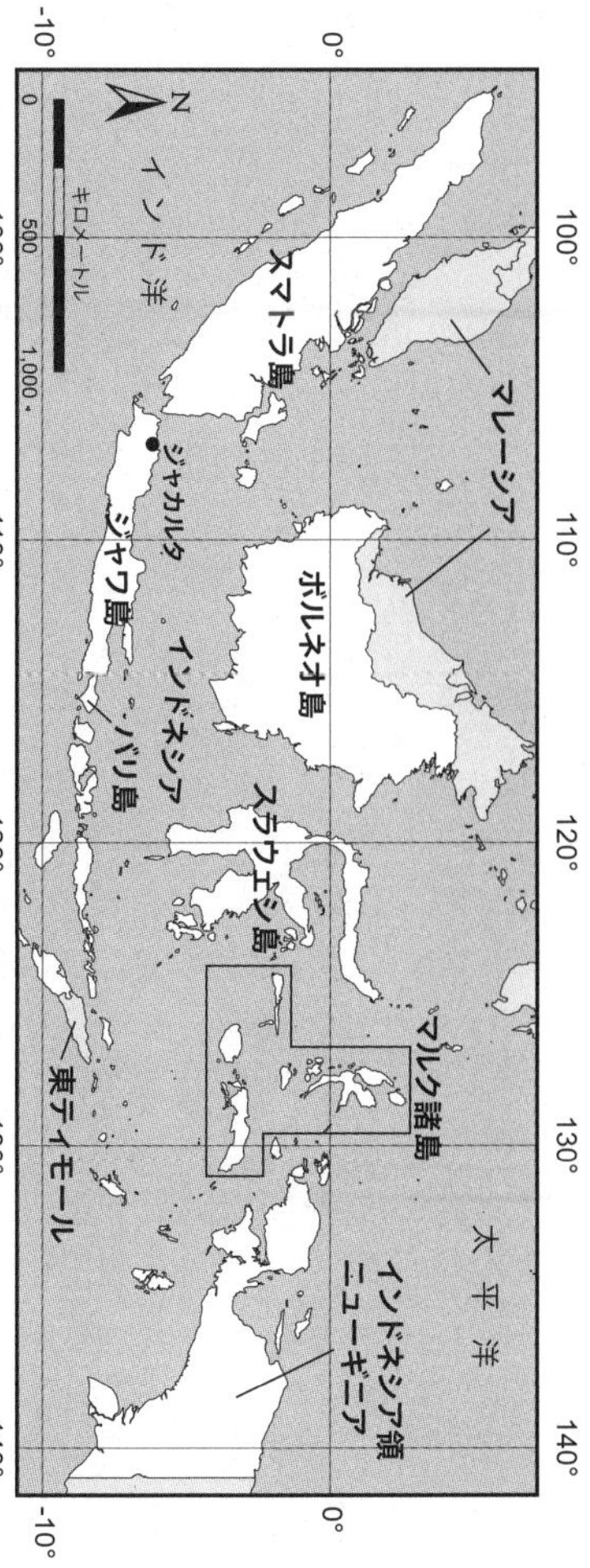

図5　インドネシアの地図

の事件、二〇万人が亡くなった二〇〇四年の津波、多くの犠牲者が出た二〇〇二年のバリ島の爆弾テロ事件くらいだ。このようにマスコミの注目度が低いのは、現在のインドネシアに海外の新聞の見出しを飾るような話題がないからだ。内戦が起きているわけでもなく、テロリストを送り出しているわけでもない。海外へ大量に移民が流出していることもない。裕福ではないが絶望的なほどの貧困にあえいでいるともいえない。国際政治の場で何か騒ぎを起こすわけでもない。私たちアメリカ人がインドネシアと聞いて思い浮かべるのは、美しい景色、ビーチ、バリ島のヒンズー教寺院、世界一豊かな生命を育むサンゴ礁、スキューバダイビングやシュノーケリングのベストスポット、美しいバティックの布など、観光客を惹きつける魅力にあふれた発展途上国のイメージだ。

私が初めてインドネシアを訪れたのは、一九七九年である。最初の宿泊先のホテルは、ロビーの壁一面がインドネシアの歴史を描いた何枚もの絵で覆われていた。アメリカで同じように絵で歴史を描くなら、独立戦争や南北戦争、カリフォルニアのゴールドラッシュ、大陸横断鉄道など、描く対象は過去一五〇年から二五〇年前のものとなるだろう。だがインドネシアのホテルのロビーの絵に描かれていたのはすべて、過去三五年間に起きたことばかりだった。しかも、大半を占めていたのは、一九六五年に起きた共産主義者による反乱であり、これは「九・三〇事件」と呼ばれている。絵の下には説明文も添えられ、そこから、共産主義者が将軍七人の拷問と殺害を謀り、将軍一人は塀を乗り越え自宅からからくも脱出したものの、彼の五歳の娘は流れ弾に当たり数日後に亡くなったことが雄弁に伝わってきた。それはまるで、将軍たちを拷問にかけて殺し、幼い少女の命まで奪ったこの事件が、インドネシア史上もっとも恐ろしい出来事であったかのような印象を与えた。

将軍たちの死につづいてどんなことが起きたのかは、いっさい描かれていなかった。軍に煽動された人々によって、五〇万人ものインドネシア人が殺されたのである。インドネシアの歴史の絵にこれらの人々の殺害を含めないとは、遺漏もはなはだしい。第二次世界大戦後に起きた大量虐殺のなかで、インドネシアのこの事件は、もっとも死者数が多い部類に入っているのである。このときのインドネシア訪問以来私は何度もこの国を訪れ、かなり長く滞在したが、インドネシア人の友人たちからは二〇年間、一度もこの大量虐殺について聞くことはなかった。初めてこの事件が話題に上ったのは、一九九八年に政権が交代してからだ。チリの場合にたとえると、ピノチェトが実際の一〇〇倍の人たちを殺害したのに、チリ人たちがいっさいそのことに触れず、チリの歴史としても何も語られていないようなものだ。

本章で述べるインドネシアの危機と変化については、チリの例を念頭に置き、比較しながら読み進めていただきたい。どちらの国も政治的妥協に失敗し、左派が政権を支配しようと試み、軍事クーデターによりそれがつぶされて長期独裁政権が誕生した。どちらの場合も、特異な独裁者が連続して二人登場し、大きな影響力をおよぼした。人格的には対照的な二人である。また、対立する党派の一方による大量虐殺、その後の国民全体の和解という問題に関しては、インドネシアとフィンランドは両極に、チリはその中間に位置している。インドネシアは本書で取り上げる国のなかでもっとも若いので、ナショナル・アイデンティティがみごとに形成されていく過程を観察できる。

インドネシアの背景知識

一九六五年のインドネシアの危機で何が起こったか、それが後にどんな影響をおよぼしたかを理解するために、まず、その基礎的背景についてみていこう。インドネシアは一九四五年に独立したばかりの新しい国である。一九一〇年頃までは、植民地としてもひとつにはまとまっていなかった。東のニューギニアとオーストラリア、西の南アジアに挟まれ、赤道をまたぐ熱帯の国だ。高山が多く、しかもその多くは活火山である。そのひとつクラカタウは、大噴火によって近年稀にみる被害をもたらした（一八八三年）。その噴火で島がほぼまるごとひとつ吹き飛び、大気中に噴き上げられた火山灰は、翌年、世界中で異常気象を引き起こした。インドネシアの島々のなかでもっともよく知られているのはジャワ、バリ、スマトラ、スラウェシで、ボルネオとニューギニアは複数の国で共有している。

地理的には、インドネシアは世界でもっとも多くの島から成る国である。人が住んでいる島だけでも数千あり、東西約五一〇〇キロメートルの海域に点在している。過去二〇〇〇年間、ほとんどつねに、インドネシアの島のどこかしらに土着の人々が建てた国家が存在していたが、インドネシアの群島全体を統一する国は現れなかった。いや、そもそも私たちが現在インドネシアと呼んでいるものに相当する名称やそういう概念そのものが存在していなかった。言語学的にも、インドネシアは世界でもっとも多様性に富む国で、異なる七〇〇以上の言語が使われている。宗教的にも多様で、もっとも多いのはムスリムだが、キリスト教徒とヒンズー教徒もかなり多く、他に仏教や儒教、土地の伝統宗教を信じる人々もいる。宗教をめぐる暴力事件や暴動がまったくなかったわけではないが、南アジアや中東と比べるとその数はたいへん少ない。多くのインドネシア人は、他の宗教の信者に対して比較的寛容だ。インドネシア各地に行ったが、キリスト教徒の村とムスリムの村が隣り合っているところもたくさんあり、たまたま入った村がどちらなのか、教会やモスクをみかけるまでわからなかった。

植民地時代

一五一〇年にポルトガル、つづいてオランダ（一五九五年から）、そしてイギリスが、現在インドネシアと呼ばれている島々に植民地を拓く試みをはじめた。最終的にイギリスの支配はボルネオ島の一部に限定され、ポルトガルの植民地もティモール島の東半分しか残らず、いちばん成功したのはオランダだった。その植民地はジャワ島に集中していたが、ここはもとから現地の人がもっとも多く住んでいる島だった（現在のインドネシアの半分強の人数であった）。一八〇〇年代になると、オランダ人は植民地経営の収益を上げるために、ジャワ島とスマトラ島にプランテーションをつくって作物を輸出しはじめた。しかしオランダ人がこの広大な多島海全体を支配下に置いたのは、一九一〇年頃になってからだ。初めてこの地にやってきてから三世紀以上の時を要したわけである。オランダ人がこの島々のすみずみまで探検し尽くすのに、長い時間がかかったことを示す良い例がある。インドネシアの東の方にあるフローレス島とそのそばの小さな島コモドには世界最大のトカゲ、コモドオオトカゲが生息している。オランダ総督が初めてそのことを知ったのは、なんと一九一〇年のことだった。大きいものだと全長約三メートルに達し、重さも一五〇キロ以上にもなる巨大なトカゲが、四世紀ものあいだヨーロッパ人に気づかれることなく生きていたのだ。

注目すべきは、「インドネシア」という呼び名自体、一八五〇年頃あるヨーロッパ人が考え出すまで存在していなかったことだ。オランダ人は、自分たちの植民地を「インド諸島」「オランダ領インド諸島」あるいは「オランダ領東インド」と呼んでいた。この多島海の島々に住んでいる人々には、ひとつの国という観念がなかった。共通の国語もなかった。また、みなで一丸となってオランダ人と戦おうという意識もなかった。たとえばジャワ島の人々は、スマトラ島を支配していた最大の国を征服するために、オランダ軍と一緒になって出兵している。ジャワ島の国々とそのスマトラ島の国は長年ライバル関係にあったからである。

一九〇〇年代初頭、オランダの植民地政府は、植民地を単なる搾取の対象としてきたそれまでの政策から、いわゆる「倫理政策」に切り替えた。インドネシアの人々のためになることをやろう、という政策がようやくはじまったのである。たとえばジャワ島に学校をつくり、鉄道を敷設し、灌漑《かんがい》システムの計画を立てた。また主要な町には行政を担当する地元民の評議会を置き、ジャワ島の人口過密を緩和するため、人口の少ない辺境の島への移住を援助した（移住先の島の住民にとっては大迷惑だったが）。しかしオランダ人によるこうした倫理政策の効果は限定的だった——理由のひとつは、オランダという国自体が小国で、インドネシアに大金をつぎ込む余裕がなかったこと、そしてもうひとつは、政策が追いつかないほど急速に人口が増加していたことである。人々の生活を良くしようといくら努力を重ねても、養うべき口がどんどん増えて追いつかないのだ。これはオランダから独立してからのインドネシアにとっても課題だった。今日、インドネシアの人々は、オランダによる植民地支配はプラス面よりもマイナス面のほうが大きかったと考えている。

一九一〇年頃になると、オランダ領東インドの住民たちのあいだに、「国家意識」のようなものが芽生えてきた。つまり、オランダが統治するジャワ島やスマトラ島のスルタン領の住人と考えるのではなく、もっと大きなインドネシアという存在に属していると感じるようになってきたのだ。共通するアイデンティティを持つようになったインドネシア人のなかに、特徴的なグループが複数、形成されていく。たとえば、自分たちは文化的に優れていると考えるジャワ人、インドネシアにイスラム教的アイデンティティを求めるムスリム運動家、労働組合員、共産党員、オランダ留学経験のあるインドネシア人学生といったグループで、複数のグループに所属している場合もあった。このようにインドネシアの独立運動はイデオロギーと地理、宗教によって細かいセクションに分割されるという特徴を備え、独立後にも国民を悩ませつづける問題の先触れとなっていた。

オランダ人に対するストライキ、陰謀、攻撃的な演説がおこなわれる一方で、インドネシア人の各陣営同士も対立し争ったために、状況はかなり錯綜していた。それでもオランダ人に対する攻撃はエスカレートしていき、ついにオランダ人は一九二〇年代に弾圧の方針を打ち出し、多くの指導者を捕らえてオランダ領ニューギニアに送った。熱帯病の蔓延する遠隔の地で、事実上の強制収容所だった。

最終的にインドネシアの人々をひとつにまとめていった大きな要因としては、マレー語を進化させたバハサ・インドネシア（インドネシア語）の存在がある。マレー語は通商語として昔から使われていたが、それを今日のすべてのインドネシア人が共有する国語へと変容させたのだ。インドネシアには現地語が何百となくあり、ジャワ島中部で使われるジャワ語がもっとも話者の多い現地語だが、それでも話者はインドネシアの人口の三分の一にも満たない。もし、この最大の現地語を国語にしていたら、インドネシアにおけるジャワの優位性を象徴することになってしまい、インドネシアに現在もくすぶる問題を悪化させていただろう。ジャワ島以外の島に住むインドネシア人は、今でも、ジャワ島の人々が支配的になることを恐れているのだ。さらにもうひとつ、ジャワ語には問題があった。階級意識の強い言語で、身分の高い人に話しかけるときと低い人に話しかけるときで異なる言葉づかいをするのである。現在、インドネシアの人々は、バハサ・インドネシアが国語であることには利点がいくつもあり、すばらしいことだと考えている。私も同感だ。覚えやすいのだ。オランダ領ニューギニアがインドネシアに併合され、バハサ・インドネシアが導入されてからまだ一八年しか経っていないが、へんぴな片田舎の、学校に行ったこともないような人もちゃんとバハサを話していた。まず、文法が単純だ。そして語根に付ける接頭辞や接尾辞が豊富で、簡単に意味が推測できる新しい単語をつくれる。たとえば、「清潔な」という意味の形容詞「bersih」に対し、動詞の「清潔にする」は「membersihkan」、名詞の「清潔さ」は「kebersihan」、名詞の「清潔にすること」は「pembersihan」となる。

独立

一九四一年一二月、日本はアメリカに宣戦布告し、太平洋諸島と東南アジア全域に戦線を拡大しはじめ、たちまちオランダ領東インドを占領した。日本が戦争をはじめた主要な動機のひとつがオランダ領ボルネオの油田と、マレー半島のゴム、錫だった。ひょっとすると、最大の動機だったかもしれない。日本には石油がなくアメリカからの輸入に頼っていたが、日本が中国との戦争をはじめたこととフランス領インドシナを占領したことの報復措置として、ルーズベルト大統領が日本への原油の輸出を削減した。ボルネオの油田は、日本にとってもっとも近い代替案だったのだ。

オランダ領東インドを占領した日本軍幹部は、当初、インドネシア人と日本人はアジアの兄弟で、新しい反植民地的秩序を確立するために共に戦っているのだと主張していた。インドネシアの民族主義者も最初は日本を支持し、オランダ人制圧に力を貸した。しかし、日本の第一の狙いは、兵器製造に必要なオランダ領東インドの天然資源（とくに石油とゴム）を手に入れることだったため、しだいに日本人はオランダ人よりも抑圧的になっていった。太平洋戦争の旗色が悪くなった一九四四年九月、日本人はインドネシアの独立を約束する。ただし、その期日は明言されなかった。一九四五年八月一五日に日本が降伏してからわずか二日後、インドネシア人は独立を宣言し、その翌日には憲法が裁可され、町々で市民軍が組織された。だが、オランダが日本に負け、日本が独立を約束し、その日本がアメリカなどの連合国に負けたからといってインドネシアの独立が保証されるわけではないことに、彼らは早々に気づいた。それどころか一九四五年九月には、イギリス軍とオーストラリア軍が侵攻してきて日本軍の後を引き継いだ。さらに、かつての支配を復活させようとオランダ軍までが戻ってきた。こうしてイギリス軍とオランダ軍は、インドネシア軍との戦闘をはじめた。

オランダ人は、多様な民族が広く散らばる多数の島に暮らすインドネシアの特徴を考え、そこで支配権を取り戻すためには「分割統治」が適していると判断し、インドネシアの連邦化を推進していった。そしてふたたび征服した地域にそれぞれ別の国家を立ち上げていった。一方、多くのインドネシア人革命家は、かつてのオランダ領東インドすべてを包含する単一の統合された共和国の建設を望んでいた。一九四六年一一月、オランダはインドネシア共和国を承認した——ただしジャワ島とスマトラ島だけを。ところがオランダは一九四七年七月に態度を硬化させ、「警察行動」と称する軍事行動を開始する。共和国の解体が目的だった。これは一度停戦にいたるが、オランダは再度「警察行動」をはじめる。しかし国連とアメリカからの圧力に屈して、オランダは支配権を共和国政府に移譲することに合意し、最終的に一九四九年一二月に主権の移譲が完了した。

だが、ここでふたつの大きな制約が課された。これはインドネシア人を激怒させたが、この制約を排除するまでには一二年の歳月を要した。ひとつは、ニューギニア島のオランダ領（西半分）をオランダが手放さず、支配下に置きつづけること。オランダが主張した根拠は、ニューギニアは他のオランダ領東インドと比べてきわめて政治的に遅れており、とても独立に堪えるような体制が整っていない、そしてニューギニア人と他のインドネシア人とは民族的に違いがあり、それは彼らとヨーロッパ人との違いに匹敵するほど大きいというものだった。ふたつめの制約は、シェル・オイルなどのオランダ系の企業がインドネシアの天然資源の所有権を保有しつづけることであった。

一九四五年から四九年にかけてオランダがインドネシアの支配権を取り戻すためにどれほどひどい手段に訴えたのか、それから三〇年後に私がインドネシア人の同僚から話を聞いたときも、彼らは怒りを抑えることができなかった。一九七九年にホテルのロビーでみたインドネシアの歴史の絵にも、そのときのことが生々しく描かれていた（たとえば、二人のオランダ人兵士が一人のインドネシア人女性をレイプしている光景などだ）。当時はインドネシア人同士によるむごたらしい暴力行為もあった。インドネシアのなかにも、共和国に対して大きな抵抗感を持つ人々がいたのである。東部やスマトラ島のインドネシア人の目には、共和国政府はジャワ人主導に映っていた。これについても、私は一九八〇年代にジャワ人以外のインドネシア人の友人たちが不満をぶつけるのを聞いている。インドネシアから政治的に分離したいと彼らは憤然とした口調で語った。共和国政府の指導部に対しては、インドネシア共産党（ＰＫＩ）も不満を抱いていた。それが爆発したのが一九四八年の反乱である。これは共和国政府軍に制圧され、少なくとも八〇〇〇人の共産主義者が殺された。一九六五年のクーデター失敗の後につづいた出来事には遠くおよばないが、その先触れのような事件だった。

スカルノ

新しく誕生した国に、独立前の時代から持ち越した難問がいくつも立ちはだかった。なかには、以前よりも悪化している問題もあった。植民地として長年オランダに支配され、オランダの利益のためだけに利用されていたため、独立したてのインドネシアの経済はまったく未成熟な状態だった。人口増加率（一九六〇年代はほぼ年率三％）は、独立後もオランダ統治時代と同様に経済的に大きな重荷となっていた。ナショナル・アイデンティティはまだ生まれておらず、自分はジャワ人だ、モルッカ人だ、スマトラ人だ、などそれぞれが住む地域の住人であるという意識だけで、インドネシア人であるとは考えていない人が多かった。最終的に国家としての一体感の形成に貢献することになるインドネシア語も、あまり普及していなかった。人々は七〇〇にもおよぶ現地語を使っていた。自分はインドネシア人だという意識を持っている人々も、それぞれが思い描くインドネシアのイメージはばらばらだった。イスラム教指導者の一部は、インドネシアをイスラム教国家にしたいと考えていた。ＰＫＩは、インドネシアを共産主義国家にしたいと考えていた。ジャワ島以外の島では、地域に自治権を認めてほしいと思う人々もいた。地域の完全なる独立をめざす反乱も起こったが、これらは最終的に共和国軍に鎮圧された。

軍自体も、分裂の危険性をはらみ、またその存在意義についても意見が割れた。インドネシア軍の将校らは軍人以外の政治家への不信感をつのらせ、他の民主主義国家のように文民に統制されることに疑問を抱きはじめた。軍はもっと自律的であるべきで、インドネシアのために独自の政策を実行していくべきではないのか？　軍は自分たちを、革命の救世主、ナショナル・アイデンティティを護る防塁と考えていた。そのために、国会に軍の代表の議席を確保するよう要求した。一方文民政府は、部隊の解散や将校数の削減、兵士の除隊を進めて、軍事費や給与などの支出を減らそうと画策していた。さらに、軍内部でも意見の対立があり、なかでも空軍と他の軍とのライバル関係は激しかった。また、陸軍の司令官も一枚岩ではなかった。とくに急進的な地方の将校と、中央の保守的な将校のあいだには大きな意見の不一致があった。軍幹部は、軍で使う金をインドネシアの人々や企業から巻き上げた。密輸をしたり、電信や電気の使用料を徴収したりといった方法で金を集め、それによって地方経済をしだいに掌握していった。贈収賄はほぼ慣行化し、これは現在でもインドネシア最大の問題のひとつとなっている。

インドネシアの建国の父と呼ばれる初代大統領スカルノ（一九〇一～七〇年）は、オランダ統治時代から、オランダ植民地政府に対抗する国民党の指導者として政治活動をはじめていた（口絵5・1）（多くのインドネシア人がそうなのだが、スカルノがフルネームであり、姓と名といった区別がない）。オランダ人に流刑にされたが、日本軍によって解放された。一九四五年八月一七日にインドネシア独立宣言を出したのはこのスカルノである。ナショナル・アイデンティティが薄弱であることがよくわかっていたスカルノは、パンチャシラと名づけた建国五原則を掲げた。これは一九四五年の憲法にも記され、現在もインドネシアという国をひとつにまとめるための包含的なイデオロギーとして大切にされている。唯一神への信仰、人道主義、インドネシアの国家的統一、民主主義、すべてのインドネシア人に対する社会正義という五つの原則である。

大統領に就任したスカルノは、インドネシアの貧困の原因はオランダの帝国主義と資本主義であるとし、引き継いだ債務を無効とし、オランダ人の資産を国有化し、その管理運営の大部分を軍に任せた。軍、官僚、スカルノ自身が利益を吸い上げることができるような国家中心経済を生み出した。当然ながら、インドネシア人による私企業の活動と外国からの援助はどちらも低迷する。アメリカとイギリスの政府は警戒感を抱き、スカルノの地位の不安定化を画策した。アメリカがチリのアジェンデ政権を弱体化させようとしたのとまったく同じだ。これに対してスカルノは、「援助などいらないから、失《う》せろ」と応じた。そして一九六五年にはアメリカの平和部隊《ピース・コー》を国外退去処分にし、国連、世界銀行、国際通貨基金から脱退した。インフレが急激に進み、インドネシアの通貨ルピアはその年のうちに価値が一〇分の一になってしまった。

インドネシアは、民主的な自前の政府を持った経験がまったくないままに独立した。彼らが経験したのはオランダの支配のみであり、その末期の数十年間はほとんど警察国家と変わりのない統治がおこなわれていたし、一九四二年にオランダの後を継いだ日本の支配も同じようなものだった。民主主義が機能するための基本条件は、高い識字率、政府の政策に反対する権利の認識、異なる考え方の許容、選挙における敗北の受容、政治権力を持たない人々に対する政府の保護だ。無理もないことだが、インドネシアではこれらの条件がいずれも十分整っていなかった。そのため一九五〇年代には首相や内閣がめまぐるしく交替した。一九五五年九月の選挙では、登録有権者のじつに九二％が投票するという驚異的な投票率を記録したが、選挙結果は政局をまったくの膠着状態にしただけだった。四つの主要政党がそれぞれ一五％から二二％の票を獲得して国会の議席を分け合ったのだ。彼らは協力できる妥協点を見出せず、政治は機能停止状態に陥ってしまった。力の差がほとんどない複数政党が互いに妥協することができない状況は、チリでピノチェトのクーデターが起きたときの状況（第4章）に重なる。違っているのは、チリには教育を受けた人々がかなりいたことと、長い歴史を持つ民主主義政府が存在していたところだ。インドネシアにはどちらも欠けていた。

一九五七年初め、スカルノ大統領は戒厳令を発令し、この膠着状態に終止符を打った。インドネシア人の国民性により適していると判断して、スカルノは「指導制民主主義」に切り替えた。通常の民主主義では立法府は政党同士が競争する場と考えられているが、「指導制民主主義」のもとでは、議会は「相互扶助」あるいは「協議を重ねたうえでの合意」が求められた。めざす目標（スカルノの目標）に向かって国会が確実に相互協力できるように、議席の半分は選挙によってではなくスカルノ自身が任命した。政党ではなく「職能集団」と呼ばれるものの候補者名簿から議員を選ぶのである。軍もそのような「職能集団」のひとつであった。

スカルノは、インドネシアの人々が求めているもの（無意識のうちに求めているものも含めて）を自分は直感的に理解し、それを解釈して預言者になることができると信じるようになっていく。一九五五年にバンドンで開催されたアジア・アフリカ会議を機に、スカルノは世界規模に目標を拡大する。インドネシアの国内では緊急課題が山積みの状態だというのに、彼はインドネシアを第三世界の反植民地主義的政治の主役にしなければならない、それが自分の責任であると考えるようになっていった（口絵5・2）。一九六三年、スカルノは終身大統領となることを宣言した。

反植民地主義を行動に移すために、彼はふたつの作戦に出た。独立間近のふたつの地域の併合をもくろんだのである。ひとつは、オランダ領ニューギニアだ。革命後も、民族学的に異質であることを理由にオランダはインドネシアへの割譲を拒み、独立させるための準備を急いでいた。ニューギニアの指導者たちはすでに国旗を定め、国歌もつくっていた。ところがスカルノが、オランダ領ニューギニアはインドネシアのものだといいだし、オランダに対する外交圧力を強め、一九六一年、オランダ領ニューギニアを武力で征服するようインドネシアの三軍すべてに命令を下した。

結果的にスカルノの政治的な目的は達成された。だがそれは、インドネシア軍の多くの兵士の悲劇の上に成り立っていたし、オランダ領ニューギニアで独立を心待ちにしていた人々にとっても悲劇だった。一九七九年に私が泊まったホテルのロビーで見た絵のなかに、インドネシアの「軍艦」がオランダ人との戦いにおもむく様子を描いたものがあった。それは実際には小さな警備艇で、オランダの戦艦によって撃沈され、数多くのインドネシア人船員が命を落とした。またインドネシア空軍の飛行機からパラシュートで降下して、オランダ領ニューギニアに入った落下傘兵もいた。彼らの状況について、当時オランダの防衛軍にいた私の友人が話してくれた。パラシュート部隊は、夜間、何もみえない状態でジャングルの上空に放り出されたという。おそらくオランダの対空戦力を恐れて日中は避けたのだろうが、なんとも残酷な仕打ちである。哀れな落下傘兵たちがふわふわと降りていったのは、サゴヤシの木が密集する湿地帯だった。大量の蚊が飛びまわり、蒸し風呂のように暑い。ヤシの木に激突すれば命を落とす。それをまぬかれても、パラシュートがヤシの木に引っかかって宙吊りになった。なんとかパラシュートを外すことができた者は、木から落ちたり這い降りたりして地面に降り立ったが、そこは沼地のぬかるみである。私の友人を含むオランダ軍の部隊は湿地を包囲していた。一週間待ち、おもむろに手こぎボートで湿地帯に入っていき、わずかに生き残っていた落下傘兵を回収したのだという。

このように軍事的にはオランダが優勢だったものの、第三世界の反植民地運動を支援しているようにみせたいアメリカ政府からの圧力を受け、結局オランダ領ニューギニアを手放さざるを得なかった。しかし面子を保つため、オランダはそれをインドネシアに割譲するのではなく、国連に託した。それから七カ月後、国連からインドネシアに統治権が渡され（領有権は与えられなかった）、その帰属は将来の住民投票で決められることになった。そこでインドネシア政府は、他の地方からニューギニアへの大量移住計画を実施した。その目的のひとつは、インドネシア領ニューギニアの人口の過半数をニューギニア人でないインドネシア人で占めることだった。七年後、ニューギニア住民代表の投票がおこなわれ、オランダ領ニューギニアのインドネシアへの併合が決まったが、その際の投票人の選び方はかなり恣意的だった。あと少しでオランダからの独立を勝ち得るところまできていたニューギニアの人々は、インドネシアからの独立をめざしてゲリラ戦をはじめた。この戦いは、半世紀経った現在でもつづいている。

反植民地主義を行動に移すために、スカルノはもうひとつの作戦を展開した。彼が照準を定めたのは、マレーシアの国土のうち、かつてイギリスの植民地だった部分である。マレーシアは、アジア大陸のマレー半島の一部とボルネオ島の一部で構成されている。マレー半島では複数の王国がまとまり、連邦として一九五七年に独立した。これにかつてイギリスの植民地だったボルネオ島の一部（サバとサラワク）が加わった。ボルネオ島はマレーシアとインドネシア、ブルネイ三国に分かれている。サバとサラワクが、すでに独立国家となっていたマレーシアに加わったのは一九六三年である。スカルノは、オランダ領ニューギニアはかつてオランダ領東インドだったのでインドネシアのものだと主張したが、ボルネオ島のマレーシア領にはそのような主張は通用しない。だがスカルノはオランダ領ニューギニアの件で味をしめていたので、一九六二年に「対決政策」を打ち出し、翌年、マレーシア領ボルネオに軍事攻撃をしかけた。しかし当のマレーシア領ボルネオの人々がインドネシアへの併合を希望していないうえ、イギリス軍および英連邦軍が効果的な防衛作戦を展開したため、インドネシア軍自体が「対決」する気力を失っていった。

クーデター

一九六〇年代、インドネシアでは三つの勢力による複雑な権力争いが起きていた。いずれも強力な勢力で、そのひとつはスカルノである。カリスマ的指導者で老練な政治家であった彼は、インドネシアの独立を成し遂げた国父として広く国民の支持を受け、最初にしてただ一人（その当時は）の大統領であった。ふたつめは軍事力を独占する軍である。三つめがPKIで、武装こそしていなかったが、政党としてはもっとも力があり、よく組織されていた。

この三つが袂《たもと》をわかち、それぞれ別の方向に向かった。スカルノの「指導制民主主義」は軍との協力関係の上に成り立っていたが、スカルノは軍を牽制するため、しだいにＰＫＩとの結びつきを強めていった。中国系インドネシア人は、国内の反中感情を警戒して多くが中国への帰国を選んだ。それでもインドネシアは外交的に中国との距離を縮め、中国にならって近く独自に原子爆弾を製造する、と発表した。それはアメリカとイギリスを慌てさせた。軍の内部は、スカルノ支持者、ＰＫＩ支持者、そしてＰＫＩを壊滅させるために軍を利用したいと考える将校とに分裂した。陸軍将校たちはＰＫＩにスパイを潜入させたが、逆にＰＫＩも陸軍にスパイを潜入させていた。ＰＫＩは、自分たちが武力の面で弱いという問題を解決するため、一九六五年、農民や労働者を武装させることを提案し、これにはスカルノの支持も取り付けていた。陸軍、海軍、空軍、警察についでインドネシア五番目となる武装勢力をつくろうというのである。共産主義者ではない陸軍将校らは動揺し、「将軍評議会」なるものを組織して共産主義者の脅威に対抗する方策を検討しはじめたといわれている。

この三者による権力争いが頂点に達し、一九六五年九月三〇日から一〇月一日にかけての夜、事件が起きた。午前三時一五分頃、左派系の司令官に率いられたふたつの部隊二〇〇〇人の兵士が反乱を起こしたのである。複数の分隊に分かれて、指導的な立場にあった七人の将軍（陸軍司令官と国防治安相を含む）の自宅を襲い、拉致を試みた。将軍たちを生きたままスカルノ大統領のもとへ連れていき、将軍評議会の活動を抑え込むよう促すことが目的だったと思われる。一〇月一日、クーデター指導者たちは首都ジャカルタの中央広場に面した国営放送局のビルを占拠し、午前七時一五分にラジオ放送をおこなった。自分たちが起こした事件を九月三〇日運動と命名し、これは腐敗した将軍たちがCIAやイギリスの手先となって企んでいたクーデターを阻止したものであり、スカルノ大統領を守るための行動であると宣言した。彼らはその後も三回ラジオ放送をおこない、午後二時を最後に沈黙した。なお、一九七九年に私が泊まったホテルのロビーにあった絵には、共産主義者によるクーデターの様子が生々しく描かれていたが、実際に反乱を起こしたのは陸軍の一部の部隊であって共産主義者の暴徒ではない。

しかし、このクーデターは大失敗に終わった。将軍たちを誘拐するために送り出された七つの分隊は十分に訓練されておらず、過度に緊張していた。集合したのも直前で、誘拐を想定した演習もしていなかった。インドネシア軍最高位の司令官二人を誘拐する（殺害ではない）というもっとも重要な任務を担当したふたつの分隊を率いたのは、階級が低く経験も浅い士官たちだった。結局、誘拐チームは三人の将軍を自宅で殺してしまう。二人は銃で、一人は銃剣で。四人目の将軍は裏庭の塀からの脱出に成功するが、分隊は誤って将軍の五歳の娘を撃ち殺してしまった。ホテルの絵にあったのはこの場面だ。さらに、将軍を補佐していた中尉も、将軍本人と間違えられて殺された（話を簡潔にするために、この中尉を含めて「七人の将軍」ということにする）。残り三人の将軍はなんとか生きたまま捕らえたものの、結局殺してしまった。将軍たちを殺さずスカルノのもとに連行せよという命令は、遂行されなかったのである。

クーデターを率いたリーダーのなかには、スカルノ大統領の親衛隊の隊長もいた。大統領の居所をつねに把握しておくことが親衛隊の仕事であるはずなのだが、その晩、クーデターのリーダーたちはスカルノをみつけることができなかった。大統領はたまたまその夜、四人の妻のうちの一人の自宅で過ごしていたのである。作戦上の致命的な失敗もあった。クーデターを起こした部隊は中央広場の三方は制圧したが、残る一辺に面していたインドネシア陸軍戦略予備軍（コストラッド）の本部を押さえようとしなかった。クーデターのリーダーたちは戦車もトランシーバーも持っていなかった。国営放送局のビルを占拠した際にジャカルタ市内の電話システムを遮断してしまったので、ジャカルタのあちこちに散ったメンバーと連絡をとるには伝令を走らせるしかなかった。さらに信じられないことだが、中央広場で待機する兵士たちへの水や食糧の補給をおこなわなかった。そのため、腹を空かせ喉の渇きをおぼえた一個大隊が勝手に持ち場を離れてしまった。別の大隊はジャカルタのハリム空軍基地に向かったが、基地のゲートが閉まっていてなかに入れず、ひと晩基地の外の路上で無為に過ごしていた。クーデターの計画にはＰＫＩの指導者の一人が加わっていたとみられるが、彼は他のＰＫＩのメンバーにクーデターの情報を伝えていなかったので、ともに行動を起こすことはできず、共産主義者による大規模な蜂起は実現しなかった。

このときのコストラッドの司令官が、スカルノの後を引き継いでインドネシアの二人目の政治指導者となった。そして、その特異な資質はインドネシアの歴史の流れを変えていくことになる。彼にはスカルノと似ているところがあった。まず、スハルトという名前がスカルノとよく似ているので間違えやすい。また同じくジャワ人で、したたかな政治家でもあった（口絵5・3）。一方、スハルトはスカルノより年齢が二〇歳若く（一九二一～二〇〇八年）、オランダの植民地政府との戦いではこれといった役割を果たしていない。何より、一九六五年の一〇月一日の朝まで、インドネシアの陸軍関係者以外でその名を知る者はほとんどいなかった。その日の早朝、蜂起の知らせを受けたスハルトは慎重に時間稼ぎをして、急展開する錯綜した状況の把握に努めながら、つぎつぎと対抗策を繰り出していった。まず、中央広場を占拠していたふたつの陸軍大隊の司令官を自分がいるコストラッドの本部に呼びつけ、今彼らがおこなっていることは反乱であるから、今後は上官ではなく自分の指示に従うようにと命令した。二人はスハルトの命令に忠実に従った。やはり急展開する事態をつかみかねていたスカルノはハリム空軍基地に来ていた。クーデターのリーダーもそこに集まった。空軍は、インドネシア軍のなかでもっとも共産主義者へのシンパが多かったからである。スハルトは、まず信頼できる部隊を送って国営放送局のビルを奪還し、それからハリム空軍基地へ兵を送った。ここでは最小限の戦闘で基地の奪還に成功した。一〇月一日午後九時、スハルトはラジオを通じて、今インドネシア陸軍を掌握しているのは自分であること、九月三〇日運動を粉砕するつもりであること、そしてスカルノ大統領を守ることを宣言した。クーデター指導者たちはハリム空軍基地やジャカルタ市内から逃走し、それぞれ列車や飛行機でばらばらに中央ジャワ州の他の都市に逃げ込んだ。その後、数回の反乱を組織してさらに将軍たちを殺害した。しかしいずれの蜂起も、ジャカルタ市内の反乱同様、一日か二日で体制派の陸軍部隊に鎮圧された。

大量殺人

失敗に終わったこのクーデターにまつわる多くの疑問には、今なお答えが出ていない。確かなのは、ふたつの勢力が連携してこのクーデターを起こしたということぐらいだろう。共産主義に共鳴した一部の下級将校たちと、一人または複数のＰＫＩの指導者だ。だが、プロの軍人である将校たちが、このように軍事的な計画性が皆無の、素人臭《しろうと》いぶざまなクーデターをなぜ実行したのか？　一般の人々の支持を得るための記者会見を開かなかったのはなぜなのか？　ＰＫＩのなかでクーデターにかかわったのはごく一部のリーダーだけだったのか？　中国共産党はクーデターの計画にかかわり、支援したのか？　なぜクーデターのリーダーたちは、スハルトを誘拐の対象に含めなかったのか？　中央広場のすぐわきにあったコストラッドの本部を、クーデターを起こした部隊が制圧しなかったのはなぜか？　スカルノ大統領は事前にクーデターのことを知っていたのか？　スハルト将軍は事前にクーデターのことを知っていたのか？　反共的な将軍たちが事前にクーデターのことを知っていたとしたら阻止しなかったのはなぜか？　すでに計画されていたPKI弾圧計画を推し進める口実にするためだったのだろうか？

最後に挙げた可能性を強く示唆する根拠がある。それは軍の反応の速さだ。わずか三日のうちに軍の司令官たちは自分たちの正当性を打ち出すプロパガンダ作戦を開始し、インドネシアの共産主義者やそのシンパを大々的に摘発し掃討したのである（口絵5・4）。クーデターでは一〇月一日にジャカルタで一二人、二日にジャワ島の他の都市で数人の犠牲者が出た。スハルトと軍部はそれを口実に、大量殺人をおこなった。予期せぬ事態に対して、ほんの数日でつくった急ごしらえの対策にしては、あまりにも手際がよく効率的で、しかも規模が大きい。おそらく、あらかじめ入念に計画が立てられており、きっかけとなる出来事を待っていたところへ、一〇月一日と二日のクーデター未遂事件がそのきっかけを与えてくれたのだと思われる。

軍にはその動機があった。一九五〇年代から六〇年代前半にかけて政治的妥協が行き詰まり、民主的政府が機能しなくなっていた。一九六五年にはPKI、軍部、スカルノ大統領による三つどもえの権力争いがはじまっている。軍部はその権力争いで旗色が悪かった。インドネシア最大にしてもっともよく組織化された政党であるPKIは、軍の政治的影響力を脅かしていた。また軍は国営企業の利益の上前をはねたり、密輸や収賄で金を得ていたが、PKIはそれを妨害していた。さらにPKIは労働者や農民を武装させて独自の軍を編制しようとしていたが、そうなれば陸軍の軍事力独占は危うくなる。その後の事態の展開が示すように、スカルノ大統領単独では陸軍に対抗することはできなかった。だがPKIと手を組めば陸軍を牽制できるのではないかとスカルノは期待していた。さらに、軍内部にも分裂があり、共産主義に共感を持つ者がいて、彼ら（に加えてPKI指導者一人ないし複数）がクーデターの首謀者となった。陸軍の反共将校たちには、このクーデターは軍内部の政敵を追放する絶好の機会だ。PKIが力をつけてきたことに警戒感を強めた陸軍司令官たちが、緊急時に備えて計画を練っていた可能性が高く、ついにきっかけとなる事件が起きて、計画は実行された。スハルト自身がその計画の立案からかかわっていたのか、それとも、チリのピノチェト将軍のように、他の人間のお膳立てで最後の瞬間にリーダーの座に滑り込んだのかは不明である。

一〇月四日、スハルトはルバン・ブアヤ（インドネシア語で「ワニの穴」という意味）という地区を訪れた。クーデターを起こした兵士たちは誘拐した将軍たちの遺体を、ここにある井戸に投げ込んでいた。カメラマンやテレビの撮影隊の前で損傷の激しい遺体が引き上げられた。翌一〇月五日、ジャカルタ市内を将軍たちの棺をのせた車が走り、何千人もの人々が沿道から見守った。陸軍の反共主義の指導者たちはすぐさま、実際に手を下したのは軍の部隊であるにもかかわらず、将軍たちの死の責任はＰＫＩにあると主張した。あらかじめ計画していたとしか思えない周到なプロパガンダ作戦を即座に開始し、共産主義者は国民の道徳的な堕落をもくろんでいる、殺害すべきターゲットをリストアップして目玉をえぐり出す練習をしている、ＰＫＩの女性部会は拉致された将軍たちに嗜虐的な性的拷問を加えて手足を切断したなどと訴え、ヒステリックなムードを煽った。スカルノ大統領は一〇月一日のクーデター未遂事件の影響を最小限に留めたいと考えていたので、軍による報復は度を越していると抗議した。しかし、すでに支配権は軍によって握られており、スカルノにはなかった。一〇月五日、軍はＰＫＩと関連のある組織およびＰＫＩの党員、その一族郎党までを標的として掃討作戦を開始した。

それに対するＰＫＩの反応は、クーデターを計画していた組織のものとは思えない。一〇月から一一月にかけて軍の基地や警察署に呼び出されたＰＫＩの党員たちの多くは、尋問の後に解放されるだろうと考え、進んで呼び出しに応じた。もしＰＫＩがクーデターを支援して軍の報復に対抗するつもりなら、鉄道労働者を動員して列車の運行を妨害したり、自動車整備工に軍用車を破壊させたり、農民たちに道路封鎖をおこなわせたりできたはずだ。だがそうした動きはまったくなかった。

このときのインドネシアの大量虐殺は、第二次世界大戦の際にナチスが強制収容所でおこなったような整然としたものではなく、記録もないので、犠牲となったインドネシア人の人数は正確には把握できていない。最大で約二〇〇万人ともいわれるが、現在もっともよく挙げられる推定人数は五〇万人だ。スカルノ自身が設置した事実調査委員会のあるメンバーが挙げた数字である。殺害方法は、ナチスのそれと比べてはるかにシンプルだった。ガス室で何百人も一度に殺害するなどというやりかたではなく、被害者はいずれも山刀などの手持ちの武器で殺されるか、縛り首になった。死体の処理も計画性がなく、専用の焼却炉をわざわざ建設したナチスとはまったく異なる。しかしながら、一九六五年と六六年にインドネシアで起こったことは、第二次世界大戦以来、世界でもっとも大規模な大量殺人のひとつであることは間違いない。

犠牲者はすべて、あるいはほとんどが中国系のインドネシア人だったという説がしばしば語られるが、それは誤解だ。実際には半数以上は中国系ではなかった。ターゲットにされたのは共産主義者とその協力者で、とくに中国人に限って狙われたわけではない。もうひとつ、誤解を解いておきたい。この大虐殺は、感情的で後先考えず精神的に幼い人々が勝手に騒いで起こしたものではない。逆上して無差別殺人を犯す人を、マレー語の「アモック」という言葉で表すが、この大虐殺にその言葉をあてはめるのは間違っている。だいいち、インドネシアの人々とそのような気質を結びつけることができる証拠を、私はみたことがない。自分たちの利益を守るために大虐殺の計画を練り、演出をしたのはインドネシア軍だ。そして軍がおこなったプロパガンダによって、多くの一般市民は自分の身を守るためには殺すしかないと思い込まされた。殺人を勧める邪悪な作戦を、軍は後先考えずに実行したのではない。自分たちの最大の敵を根絶することをめざし、達成したのである。

一九六五年一〇月末の状況はつぎのようなものであった。軍の指導者の一部はスハルトに忠誠を誓っていたが、全員の支持を得ていたわけではない。スカルノは終身大統領の地位にあり、インドネシア建国の父として国民から尊敬され崇拝されていた。軍の将兵たちにも依然として人気があり、政治的手腕も衰えてはいなかった。そんなスカルノをスハルトが追い落とせるはずはなかったのである。たとえていうなら、アメリカで野心に満ちた将軍が、我らが愛すべき建国の父ジョージ・ワシントン大統領を二期目の途中で辞めさせようとするのに近い。

以前のスハルトは有能な将軍と評価されていたが、それ以上ではなかった。それが今や、スカルノをもしのぐ政治的手腕を発揮していた。彼は徐々に軍幹部の支持を取り付け、ＰＫＩに共感的な軍人や役人を排除し、自分に忠実な軍人や役人をそろえていった。スカルノのために働いているとみせかけて、二年半かけて慎重にスカルノから実権を奪っていったのである。一九六六年三月、スカルノはスハルトにいっさいの権限を移譲する旨を記した命令書に署名することを余儀なくされた。一九六七年三月にスハルトは大統領代行となり、一九六八年三月、ついにスカルノに代わって大統領に就任した。それから三〇年、彼は権力の座に留まった。

スハルト

スハルトはスカルノとは違い、第三世界として反植民地主義的な政策を掲げたり、インドネシアの多島海の外に領土を広げようという野心を示したりすることはなかった。もっぱらインドネシアの国内問題に取り組んだ。とくに、スカルノがボルネオをめぐって起こしたマレーシアとの軍事的「対決」を終結させ、国連への再加盟を果たし、スカルノがイデオロギーにもとづいて築いた中国共産党との密接な関係を放棄し、経済的、戦略的理由から西側と密接な関係を結んだ。

スハルト自身は大学教育を受けておらず、経済学の理論も理解していなかった。そこで彼は、インドネシアの「公的な」経済（後述する私的な経済とは別に）を、優秀なインドネシア人経済学者たちに任せることにした。その多くがカリフォルニア大学バークレー校で学位を取得していたため、彼らは「バークレー・マフィア」とあだ名されることになる。スカルノ政権下では、多額の債務と深刻なインフレによる赤字財政支出が重い負担となっていた。チリのピノチェト将軍のもとで働いたシカゴ・ボーイズのように、スハルトのバークレー・マフィアも、予算の収支を整え、各種補助金の支給を減らし、市場志向の経済をめざし、国債の発行を減らしてインフレを抑制した。スカルノ時代のような左寄りの政策ではなくなったことをうまくアピールして、バークレー・マフィアは海外からの投資を引き込み、インドネシアの天然資源、とくに石油と鉱石の開発を進めるための援助をアメリカやヨーロッパ各国から取り付けた。

インドネシアの経済計画の立案には、軍も中心的な役割を果たした。スハルトは、「国家や社会の近代化に、軍は大いに関心を持っており、その過程に重要な役割を果たすことを望んでいる……もし『新秩序』を確かなものにする過程で生じる問題に軍が曖昧な態度をとれば、それは、歴史の呼び声を否定するのみならず、軍の役割を否定することにもなる……軍にはふたつの機能がある。ひとつは国家の武器としての役割、もうひとつは革命を遂行する担い手としての役割である」と宣言している。アメリカ軍の将軍が大統領に就任して、アメリカ軍についてこのような発言をすることなど、想像できるだろうか。インドネシアの軍部は、事実上、正式な政府と並列するもうひとつの政府となっていく。予算も、正式な政府の予算とほぼ等しい規模の予算を与えられるようになった。スハルトのもとで、市長や地方行政官、州知事などの半数以上を軍人が務めるようになった。地方の軍の士官は「安全保障に有害」な行為をしたと疑われる人間を自由に逮捕し、好きなだけ拘留しつづける権限が与えられた。

軍人たちは企業を設立し、収賄やゆすりたかりを大規模におこなった。それが軍の資金となり、彼ら個人のふところも肥やした。スハルト自身はみるからにぜいたくな暮らしをしたわけではないが、妻や子どもたちは巨額の汚職に手を染めていると噂されていた。子どもたちはみずから資金を投じることなく事業を立ち上げ、さらなる富を手にした。スハルトは自分の身内が汚職で告発されると激怒し、彼らの富はビジネスマンとしての才覚のみで築いたものだと主張した。インドネシアの人々は、彼の妻、通称イブ・ティン（マダム・ティン）を「イブ・ティン・パルセン」（「マダム一〇%」という意味になる）と呼ぶようになった。政府と事業の契約を結ぶ際、その契約額の一〇%に相当する分を彼女がリベートとして要求するといわれていたからである。スハルト政権末期には、インドネシアは世界で有数の汚職大国となっていた。

インドネシア人の生活のあらゆるところに汚職は蔓延していた。たとえば私がインドネシアで国際的な環境保護団体、世界野生生物基金（WWF）の仕事をしていたときのことだ。WWFインドネシア事務局の役員に「ミスター汚職」とあだ名される人物がいることを、同僚のインドネシア人職員がこっそり教えてくれた。みなと比べて桁外れの汚職をしていたので、そんなあだ名がついた。海外の篤志家がWWFのその事務所のために購入して寄付した船が、いつのまにかミスター汚職の所有物になっていたりした。役人以外にも汚職がはびこっていた例をもうひとつ挙げよう。私はインドネシアで仕事をしていたとき、定期的に大荷物を持って飛行機に乗る必要があった。規定よりも重いので、そのたびに超過料金が発生する。インドネシアの国内線のチェックインカウンターでは毎回、グランドスタッフがカウンターから出てきて荷物の超過料金を現金で請求し、その金を航空会社ではなく自分のものにした。私はそのことにもすっかり慣れてしまった。

スハルトは、スカルノが掲げた「指導制民主主義」の原則に代わって、「新秩序」と呼ばれる方針を掲げた。これは、建前では、一九四五年に定められたインドネシア憲法とパンチャシラの五原則が掲げた理念への回帰をめざしていた。インドネシアのいろいろな政党がその後に加えてきた好ましくない変更を一掃する、とスハルトは主張した。彼はインドネシアの人々を、規律がなく、無知で、危険思想に染まりやすく、民主主義を受け入れる準備ができていないと考えていた。自伝ではつぎのように述べている。

「パンチャシラ民主主義においては、西欧流の対立は存在し得ない。パンチャシラ民主主義の領域では、ムシャワラ（話し合い）によりムファカット（全員一致）を達成する……西欧のような対立はないのである。争いに根ざす対立、同調したくないという理由での対立はない……民主主義には自制と責任が求められる。民主主義にそれが欠けていれば、ただの混乱である」

全員一致、対立を認めない、という原則はスハルト体制を貫き、インドネシア人の生活のさまざまな場面に浸透した。パンチャシラは絶対とされ、これ以外のイデオロギーは認められなかった。公務員や軍人は、徹底した教育プログラムによってこれを叩き込まれた。もちろんストライキなどは禁止だ。パンチャシラに反しているからである。また、アイデンティティに関してはインドネシア人として統一され、たとえば中国系インドネシア人は漢字の使用や中国風の名前の使用を禁止された。政治的にもひとつの国としてまとまるという方針から、アチェや東ティモール、インドネシア領ニューギニアなどの自治は認められなかった。スハルトとしては、政党はひとつだけが理想だったのだろう。ただ、インドネシア政府が合法的な政府であると外国から認めてもらうためには、複数政党が競い合う議会選挙が必要だった。選挙では、つねに政府の「職能集団」であるゴルカル党が最大七〇％もの得票率で選挙に勝利した。他の政党は連合して、イスラム系と非イスラム系ふたつの職能集団を形成したが、毎回必ず敗北した。かくしてスハルト政権下のインドネシアは、オランダ統治時代最後の一〇年間と似たような軍事国家となった。ひとつ違うところは、統治しているのが外国人ではなくインドネシア人だという点であった。

一九七九年に私がホテルで見た絵には、インドネシアの歴史上の決定的な瞬間として一九六五年に未遂に終わったクーデターが描かれていたが、スハルトの意向を反映してＰＫＩのしわざになっていた。殺害された七人の将軍は「革命の七英雄」とされ、彼らを追悼するために、一九六九年に巨大なパンチャシラ記念碑が建立された（口絵5・5）。将軍たちの偉業を顕彰しパンチャシラへの献身をあらためて確認するための式典が、毎年おこなわれる（これは今もつづいている）。記念碑のレリーフには植民地時代以後のインドネシアの歴史が浮き彫りで描かれ、隣接するPKI反逆博物館にも展示がある。どちらも、共産主義者の造反行為が繰り返された末に一九六五年のクーデター未遂事件にいたるという描かれ方だ。政府は、七人の将軍が拉致され殺害された出来事をテーマにした四時間にもおよぶ大作映画を制作させ、毎年九月三〇日にはすべてのテレビ局がこの陰惨な映画を放送し、すべての小学生がそれを視聴することになっていた。クーデター未遂事件の後に、報復として五〇万人のインドネシア人が殺されたことについては、もちろんいっさい言及されなかった。政治犯としてとらわれていた人々の大半は、私がインドネシアで働きはじめた年（一九七九年）にようやく釈放された。事件から十数年経っていた。

インドネシア大統領の任期は五年だが、国会は毎回スハルトを再選した。大統領としての七期目を迎えた直後の一九九八年五月、三〇年以上つづいたスハルト体制は予想外の急展開で崩壊した。数多くの要因が重なり、政権は弱体化していたのである。ひとつの要因はアジア金融危機だった。それによってインドネシアの通貨ルピアの価値が八〇％下落し、暴動が勃発していた。スハルト自身も要因のひとつであった。七七歳となった彼は現実にうまくついていけなくなって、政治手腕にも衰えがみえ、さらに、長年そばで支え、強い絆で結ばれていた妻が一九九六年に亡くなったのも痛手となった。国民のあいだには汚職やスハルト一家による蓄財への怒りが高まっていた。スハルト自身の功績でインドネシアの社会には近代化と工業化がもたらされたが、その社会は、市民には自治能力がないという彼の主張をもはや受け入れなくなっていた。そして、インドネシア軍は決定的な判断を下した——一九八八年にチリの国民投票で「ノー!」運動が勝利をおさめた際のチリ軍と同じように、軍としても、これ以上抗議の波をせき止めることはできない、事態の収拾がつかなくなる前にスハルトは（ピノチェトと同じように）引退すべきである、と結論を出したのだ。

スハルトが失脚した翌年の一九九九年、インドネシアでは四〇年ぶりに自由選挙と呼べる選挙がおこなわれた。それ以来、インドネシアでの選挙の投票率は、毎回アメリカよりもはるかに高い。アメリカでは大統領選挙でさえ六〇%にはなかなか届かないが、インドネシアでは七〇~九〇%の有権者が選挙に行く。直近の大統領選挙は二〇一四年におこなわれたが、勝利したのは元ジャカルタ特別州知事のジョコ・ウィドドで、陸軍の将軍を破って、反体制派の文民が当選したのである。汚職は減り、汚職をおこなった者が罰せられるようにもなってきた。

スハルトが遺したもの

スハルト体制が何を遺したのか、そして一九六五年のクーデターの企てと、それにつづく反クーデターの成功によって生じた危機が何を遺したのかについてまとめてみよう。負の遺産は明白だ。最悪のものとしては、インドネシア人五〇万人が殺され、一〇万人が一〇年以上にわたって刑務所に収監されたことである。また、汚職が蔓延し、それにより経済成長率が鈍化した。軍は汚職によって得た金を、自分たちが運営するビジネスや政治活動に回していた。軍によるこうした使い込みがなければ、経済成長率はもっと高かったはずだ。汚職は軍からはじまってインドネシア社会全体に広がった（航空会社のグランドスタッフにいたるまで）。さらに、スハルトは国民の自治能力をいっさい信用していなかったため、インドネシア人が国を民主的に統治する方法を学ぶ機会が何十年間も先送りにされた。

一九六五年の一連の出来事からインドネシア軍は、人々が不満を抱いている問題を解決するよりも、武力を行使して人々を殺してしまうほうがうまくいく、という教訓を引き出した。軍によるこの残忍な弾圧政策で、インドネシアはインドネシア領ニューギニア、スマトラ島、とりわけインドネシア東部のティモール島において多大な犠牲を払うことになった。ティモール島の東側はポルトガル領、西側はインドネシア領と政治的に分断されていた。一九七四年、ポルトガルが最後の植民地を手放そうとしたとき、東ティモールがインドネシアの新しい州になることは、地理的にも自然なことに思われた。すでにインドネシアにはさまざまな文化、言語、歴史を持つ多くの州があったからだ。もちろん、国境はそのような論理だけで決まるものではない。カナダはアメリカの一部ではないし、デンマークもドイツの一部ではない。しかし東ティモールの場合はカナダやデンマークとは違い、たくさんの島から成る多島海の小さな島の東半分で、残りの島はすべてインドネシア領である。仮にインドネシア政府と軍がうまく立ち回っていれば、交渉によって東ティモールを自治権のあるインドネシアの領土にできたかもしれない。だがインドネシア軍はそんなことはしなかった。侵攻し、大量虐殺をおこなった末に東ティモールを併合したのだ。しかし諸外国から圧力がかかり、スハルトの後を継いで大統領となったハビビは、一九九九年八月に東ティモール独立の可否を問う住民投票をおこなうことを認め、インドネシア軍に衝撃を与えた。投票の結果、独立派が圧倒的多数を占めた。それに対しインドネシア軍は親インドシナ武装組織を編制し、またもや大量虐殺をしかけ、多くの人々をむりやりインドネシア領の西ティモールに移し、新しい国の建物の大半を焼き払ったものの、思惑通りにはいかなかった——国連の多国籍軍が派遣されて秩序が回復され、東ティモールは東ティモール民主共和国として独立を果たしたのである。多大な犠牲を払った末の独立だった。人口のおよそ四分の一が失われ、生き残った人々の一人あたりの平均所得はインドネシアのわずか六分の一と、現在、アジアでもっとも貧しい小国である。インドネシア側からみれば、領海内に別の主権国家を抱える事態を招いてしまった。その国の周囲の海底にはおそらく豊かな石油資源が眠っているが、将来そこから得られる利益がインドネシアに入ってくることはない。

こうして負の遺産を並べると、スハルト体制は他に何も遺さなかったようにみえるかもしれない。しかし、悪いことばかり、あるいは良いことばかりの歴史は稀だ。私たちは公正に歴史を捉えるべきである。スハルト体制にはたしかに、おぞましい点は多いが、プラスの遺産も間違いなくある。汚職の蔓延で成長率は抑えられたものの、経済を成長させ、その状態を維持した（口絵5・6、5・7）。海外からの投資も呼び込んだ。国内問題に力を注ぎ、世界の反植民地運動や隣国マレーシアを解体する企てにエネルギーを奪われることもなかった。家族計画を普及させることにより、オランダ統治時代から引きつづきインドネシアを苦しめていた根本的問題、すなわち人口増加という難問にも取り組んだ（インドネシア領ニューギニアでもっともへんぴな村でも、家族計画についての政府のポスターをみかけた）。また、緑の革命にも主導的な役割を果たした。肥料や品種改良した種子を提供し、米をはじめとする作物の収量を大幅に増やして農産物を大々的に増産し、インドネシア人の栄養状態の改善にも役立った。一九六五年以前のインドネシアは大きな緊張状態にあったが、国がばらばらになる危険性は、今日のインドネシアにはない。いくつもの島に分かれ、それが何千キロメートルにもわたって散らばっており、その土地特有の言語が何百とあり、いろいろな宗教が共存している状況に変わりはなく、いずれの要素も厄災の材料になり得るものの、今のインドネシアに分裂の気配はないのだ。八〇年前、大半のインドネシア人にはインドネシア人であるという自覚がなかった。それが今では、ごく自然に自分はインドネシア人だというナショナル・アイデンティティがある。

しかし、インドネシア人のあいだでも、それ以外の人々のあいだでも、スハルト体制の評価は厳しく、その功績をまったく認めていない人が多い。スハルト体制でなくても同じ進歩を遂げた可能性がある、と彼らはいう。そのような仮定の話に、正確な答えなど出しようがない。できるとすれば、一九六五年以後のインドネシアで、実際とは異なる二通りのことが起きていればどうなったのかを想像してみることくらいだ。一九六五年まで権力を握っていたスカルノ体制がそのまま継続していたらどうだったのか、あるいはPKIが念願を果たして共産主義政権を樹立していたらどうなっていたのか。一九六五年の段階で、すでにスカルノ体制はインドネシア政界を混沌に陥れ、経済は行き詰まっていた。また、一時のカンボジアや北朝鮮の共産主義独裁国家にみられる拷問、殺人、過酷な貧困、常軌を逸した政策などを考えると、共産主義者が政権を奪取していたら、インドネシアはスハルト体制よりもさらに悪い状況になっていた可能性もある。その一方で、スカルノ体制が継続していたらすばらしいことが実現していただろうと主張する人たちもいるし、ＰＫＩによる共産主義政権は他の共産主義国家とは違ったはずだと主張する人たちもいる。はたして、どうだったのだろうか。

危機の枠組み

本書のテーマは、国家的危機を個人的危機と対比して捉えることであるが、インドネシアの危機はどのように捉えることができるだろう。

インドネシアの事例では、囲いづくりと選択的変化がみられる（要因3）。囲いのなかには変化がいつ起きてもおかしくない重要な領域がいくつかあった。具体的にはスハルトによる文民政府から軍事独裁制への移行、彼の後継者たちによる逆方向への変化、スハルトが西側で経験を積んだ経済学者を重用して景気後退からプラス成長を実現したこと、第三世界の政治的リーダーになりたいというスカルノの野心をスハルトが受け継がなかったことなどだ。一方、囲いに入らなかった、つまり一九六五年以降も変わらず保持された特性もある。たとえば、領土の保全、宗教への寛容さ、非共産主義政府などだ。スカルノが共産主義者との協力に乗り気であったことをのぞけば、スカルノ、スハルト、スハルトの後継者たちにとって、それらの特性は譲れない基本的価値観として共有されていた。

インドネシアには、問題解決を困難にしている要因もあった。元植民地で、独立したばかりだったため、当初はナショナル・アイデンティティが薄弱だった（要因6）。これとは対照的なのがフィンランドであり、独立する一世紀前からかなり自治が認められ、自前の政府をすでに持っていた。誕生して間もないインドネシアには、一九四五年から四九年にかけて戦いの末に独立を勝ち取った以外に、変革を成功させた歴史がない。したがって成功体験から得られるはずの自信がなかった（要因8）。スカルノ大統領は、現実的で公正な自己評価（要因7）ができていなかった。自分には全インドネシア人が無意識に抱いている願いを理解し実現する特殊な能力が与えられていると信じていたのだ。インドネシア軍の将校の多く、あるいは大半は、基本的価値観を共有しており、そのためなら殺人も厭わなかったが、そのために自分の命を投げ出そうとまでは思っていなかった（要因11）。インドネシアの自由な動きを制約したのは、貧困と人口増加という国内原因である（要因12）。

他方でインドネシアは、問題解決に有利な条件も備えていた。群島国家であるため、外部からの制限を受けない。この点はチリと似て、フィンランドとは対照的だ。オランダから独立して以来、インドネシアに脅威となる国はなかった（これも要因12）。バークレー・マフィアと呼ばれる経済の専門家たちは、すでに効果のほどがしっかり検証済みの他国の例を数多く手本として、インドネシアの経済を立て直して発展させることができた（要因5）。スハルトが前任者スカルノの親中外交政策を継承せず西側寄りの政策に転換すると、インドネシアには西側諸国から多くの投資や援助が向けられ、経済の立て直しが進んだ（要因4）。

スハルトは、自分が現実的でマキャヴェリスト的なタイプであることをよく承知していた（要因7）。彼は国民に人気のあった建国の父、初代大統領スカルノをじわじわと政治の表舞台から排除していった。どこまでなら許され、どこからは許されないかを見極めながら一段階ずつ事を進め、時間をかけて最終的にスカルノを追放した。スカルノはマレーシアとのゲリラ戦や世界の反植民地運動を先導したいという野心を抱いていたが、そのようなインドネシアの力量を超えた外交政策をスハルトは放棄している。ここでも現実的な判断ができていた。

インドネシアの危機においては、個人的危機では発生しない国家ならではの三つの問題が生じている。第一に、インドネシアはチリと同様、政治的妥協点の模索に失敗している。この点はフィンランドと異なる。その結果、インドネシアの政治は一九五〇年代初期に行き詰まり、各勢力独自の動きが激しくなっていく。スカルノが「指導制民主主義」を採用したのはそのせいであり、その後ＰＫＩが農民や労働者に武装するよう呼びかけると、それを受けて軍が大量虐殺をはじめた。第二に、インドネシアでは特異な指導者が大きな役割を果たしている。これもチリに通じるところがあり、フィンランドと異なる部分である。スカルノとスハルトという二人の指導者がインドネシアに登場した。スカルノはカリスマに恵まれながら、そのカリスマに対する自信過剰が災いした。スハルトは忍耐力、用心深さ、政治的手腕に恵まれていたが、その政策によって多くの人々の命を無惨に奪い、身内の汚職には無頓着であり、国民をまったく信用していなかったことが災いした。最後に、政治的妥協の失敗、殺人、そこからの和解という部分に注目すると、インドネシアはフィンランドと対極にあり、チリはその中間に位置している。フィンランドでは内戦の後、和解は素早くおこなわれた。チリではかなり自由に議論が交わされ実行者の裁判もおこなわれたが、和解はまだ不完全だ。そしてインドネシアでは議論も和解も非常に限定的で、実行者はまったく裁かれていない。彼らが裁判にかけられない理由のひとつは、民主主義国家としての伝統の弱さが挙げられる。ピノチェト後のチリでは「すべてのチリ人のためのチリ」というモットーが掲げられたが、スハルト後のインドネシアにはそういう雰囲気はあまりなかった。何よりインドネシアでは大量虐殺がおこなわれてから三三年間も軍事独裁政権がつづいた。今日も、チリと比べてインドネシアの軍部ははるかに力を持っている。

インドネシア再訪

インドネシアの選択的変化については、私自身の個人的な経験を付け加えることができる。私は一九七九年から九六年まで一七年間、スハルト時代のインドネシアで仕事をしていた。その後、二〇一二年に再訪した（スハルト退陣の一四年後）。以来たびたびインドネシアを訪れているが、訪れるたびにさまざまな驚きがある。

まずは空の旅に関して驚かされた。一九八〇年代、九〇年代のインドネシアの民間航空の運航は、杜撰で危険なところが目についた。それは賄賂を要求されたり、手荷物の重量超過料金が本来行くべき場所ではないだれかのポケットに入ったり、といった程度では収まらなかった。あるフライトでは、客室に燃料の入った大きなドラム缶が複数、まったく固定されずに置かれていた。男性客室乗務員は離陸の際も座らずに立ったままで、乗客の座席にはシートベルトとエチケット袋がなかった（実際吐いている乗客が一人いたが、その人のところにもエチケット袋がなかった）。大型旅客機でパプア州の州都ジャヤプラに向かったときは、コックピットと客室を隔てるドアを開けっ放しにしてパイロットと副操縦士がキャビンアテンダントたちとおしゃべりに興じていたため、高い高度で滑走路に接近したことに気づかず、不注意を埋め合わせるために急角度で降下し、着陸すると急ブレーキをかけた。飛行機が停止したのは、滑走路端の溝のわずか六メートル手前だった。ところが二〇一二年にはインドネシアを代表する航空会社ガルーダが、世界最高のリージョナルキャリアのひとつとして評価されるまでになった。二〇一二年以降は、チェックインの際に荷物の重量が超過すると、ガルーダの重量超過手荷物預かり所に行くように指示された。そこで超過料金をクレジットカードで支払い、ガルーダが発行する領収書を受け取っている。一九九六年までは毎回必ず袖の下を要求されていたが、二〇一二年以降は一度も要求されていない。

二〇一二年、インドネシア沿岸の海に出たときのことだ。軍の船らしきものが近くに見えた。あれは何かと訊ねると、意外な答えが返ってきた。密漁船を取り締まる政府の巡視艇だという。一九九六年まで、「インドネシア政府が何かを取り締まる」などと聞かされたら、「巨大な小エビ」といわれるみたいに違和感をおぼえたものだ。なにしろインドネシア軍の船といえば、何かを取り締まる側ではなく、取り締まられるようなことをやっているに決まっていた。

二〇一四年にインドネシア領ニューギニアの海岸に上陸したときには、大型の色鮮やかな鳥がたくさんいたので驚いた。以前なら密猟の格好のターゲットだった鳥たちが、すぐ近くで鳴き交わし求愛行動をし、海沿いの村のなかにまで入ってきた。ミカドバトの仲間やサイチョウ、ヤシオウム、フウチョウの仲間などだ。村に近づけば撃たれるか罠に捕らえられるかしていたので、人里離れた場所でしかみかけることのなかった鳥である。

インドネシア領ニューギニアを再訪したときインドネシア人の友人たちから聞いたのは、最初は一九八〇年代、九〇年代によく聞いたような話だった。インドネシア人警察官が最近、四人のニューギニア人を銃で撃った、というのだ。その地区の行政官の腐敗ぶりはひどいのだという。少しも意外ではなかった。新しくもめずらしくもない話だ。ところが、今回、なんと警察官と行政官が両方とも裁判にかけられて、刑務所送りになったのだという。こんなことはかつて一度もなかった。

進歩の兆しはたしかにある。が、過大評価は慎むべきだ。インドネシアは依然として、多くの問題を引きずっている。私が直接、被害を受けることはなくなっても、贈賄はまだ広くおこなわれているという。インドネシアの友人たちは、いまだに一九六五年の大量殺人について語らない。当時まだ生まれていなかった若い友人たちも、一九六五年を身をもって経験している世代の友人たちも。ただ、アメリカ人の同僚たちによれば、あの大量殺人に興味を示すインドネシア人に何度も出会っているそうだ。インドネシア軍が民主主義に介入してくるのでは、という恐怖はなくなったわけではない。二〇一四年に大統領選挙がおこなわれ、文民政治家が将軍を破って当選したが、その選挙結果を将軍は無効にしようと試みた。それが功を奏さないことが確実になるまでの数カ月間、インドネシアは不安に包まれた。二〇一三年には私が乗っていたヘリコプターが銃撃された。チャーターしたヘリコプターでインドネシア領ニューギニア上空を飛んでいたとき、地上から発射されたライフルの弾でヘリコプターの風防ガラスが割れたのである。独立を求めてインドネシア軍と戦っているニューギニア島のゲリラが撃ったのか、弾圧を正当化するためにゲリラを装ったインドネシア軍が撃ったのかは、いまだにわからない。

さらに考察する前に、少々説明を加えておこう。本書で取り上げた国のうちインドネシアは国家としての歴史がもっとも浅く、言語の多様性も飛び抜けて大きい。また、最初の段階では唯一、複数の国に分かれてしまう恐れが高かった。オランダの植民地だったオランダ領東インドが分解して、いくつかの国家が生まれていた可能性もある。インドシナにあったフランスの植民地はベトナム、カンボジア、ラオスに分かれたが、同じことが起こったかもしれない。一九四〇年代後半、インドネシア共和国が今にも誕生しようとしていたとき、オランダが植民地内部に連邦国家をつくろうとしたのは、建国を阻止するために分割をもくろんだのである。

しかしインドネシアは、ばらばらにならなかった。まったくのゼロからのスタートだったにもかかわらず、驚異的な速さでナショナル・アイデンティティを形成し、その国の国民であるという意識を育てた。人々のあいだに自然に芽生えたものを、政府が意識的に強化した部分もある。国民としての一体感の基盤となったのは、たとえば一九四五年から四九年にかけての革命と、オランダの支配を打ち破ったという誇りだ。政府はそれを強化した。一九四五年から四九年の出来事を、国の独立のために雄々しく闘う英雄物語として称え、かなりの正当化も交えつつ、繰り返し語り聞かせたのである。アメリカの学校で独立戦争の物語を小学生に繰り返し教えるのと同じだ。また、インドネシア人は、自分たちの国が広い範囲におよぶことを誇りに思っている。『サバンからメラウケまで』というインドネシアの国民的な歌の歌詞はそれをよく表している(サバンはインドネシア西端、メラウケは東端の地名だ。約五一〇〇キロメートル離れている)。ナショナル・アイデンティティのもうひとつの重要な基盤といえば、バハサ・インドネシアである。覚えやすく、すばらしく柔軟な言語で、インドネシアの人々は、地元で使われる七〇〇の言語の他に、唯一の国語として、すぐにこれを使うようになった。

それに加え、インドネシア政府はパンチャシラの五原則を強調し、ジャカルタのパンチャシラ記念碑では七人の将軍たちを追悼する式典を毎年開催し、インドネシア人としてのアイデンティティを強化している。私は二〇一二年にインドネシアを再訪し、以来いくつものホテルに滞在しているが、一九七九年に初めて泊まったホテルのロビーで見た「共産主義者のクーデター」のような絵はどこにもない。現在のインドネシアの人々には、ナショナル・アイデンティティがしっかり定着している。「共産主義者のクーデター」という不当な説明でアイデンティティを強化する必要はなくなった。インドネシアを訪れた経験を通じて私がもっとも大きな変化として感じるのは、インドネシア国民のナショナル・アイデンティティが深まったことである。

口絵写真クレジット

0.1: AP Photo
2.1: Courtesy of Alexander Stielau
2.2: History Photo Collection, National Board of Antiquities Collections, Helsinki
2.3: E. J. Reinikainen, National Board of Antiquities Collections, Helsinki
2.4: Courtesy of St. Petersburg Travel Guide, www.guidetopetersburg.com
2.5: History Photo Collection, National Board of Antiquities Collections, Helsinki
2.6: Library of Congress LC-DIG-ppmsca-18369
2.7: History Photo Collection, National Board of Antiquities Collections, Helsinki
3.1: Wikimedia
3.2: Library of Congress LC-USZ62-110249
3.3: Takeo City Library and Historical Museum
3.4: Courtesy of Getty's Open Content Program
3.5: Waseda University Archive
3.6: Bain News Service, Library of Congress LC-DIG-ggbain-38442
3.7: Photo by Underwood & Underwood, Library of Congress LC-USZC2-6353
3.8: Courtesy of the Print Department of the National Library of Russia
3.9: © SZ Photo / Scherl / The Image Works
4.1: Estate of Naúl Ojeda
4.2: Naval History & Heritage Command: Photographic Section, Naval Subjects Collection, L-53-41-1
4.3: © Chas Gerretsen, Nederlands Fotomuseum, Rotterdam
4.4: © Chas Gerretsen, Nederlands Fotomuseum, Rotterdam
4.5: Antonio Larrea / Fundacion Victor Jara
4.6: © Julio Etchart
4.7: © Rickey Rogers / Reuters Pictures
5.1: Historic Images, Inc. Press handout
5.2: Historic Images, Inc. Source unknown
5.3: State Secretariat of the Republic of Indonesia
5.4: Bettmann / Getty Images
5.5: © Hans Tanawi
5.6: Gunawan Kartapranata, CC Attribution-Share Alike 3.0 Unported License
5.7: Courtesy of Muhamad Taufiq Hidayat

図 1, 2, 3, 4, 5: Matt Zebrowski

著訳者紹介

ジャレド・ダイアモンド（Jared Diamond）

カリフォルニア大学ロサンゼルス校（UCLA）地理学教授
1937年ボストン生まれ。ハーバード大学で生物学、ケンブリッジ大学で生理学を修めるが、やがてその研究領域は進化生物学、鳥類学、人類生態学へと発展していく。カリフォルニア大学ロサンゼルス校医学部生理学教授を経て、同校地理学教授。アメリカ科学アカデミー、アメリカ芸術科学アカデミー、アメリカ哲学協会会員。アメリカ国家科学賞、タイラー賞、コスモス賞、ピュリツァー賞、マッカーサー・フェロー、ブループラネット賞など受賞多数。
現在も大学で学部生向けに地理学を教え、引退の予定はない。あまりの博識ぶりと研究対象範囲の広さに、ある書評に「ジャレド・ダイアモンドというのは、匿名の専門家グループが使うペンネームではないかと疑われている」と書かれたほどである。妻マリーや息子マックスとジョシュア、友人たちと過ごす時間のほかは、自宅近くの渓谷で毎日バードウォッチングをし、週何回かはジムでバーベルトレーニングをこなし、週一度はイタリア語会話のレッスンを受け、クラシック音楽の室内楽団でピアノを演奏している。ロサンゼルス在住。
jareddiamond.org

小川敏子（おがわ・としこ）

翻訳家。東京生まれ、慶應義塾大学文学部英文学科卒業。小説からノンフィクションまで幅広いジャンルで活躍。ルース・ドフリース『食糧と人類』、ジェシー・S・ニーレンバーグ『「話し方」の心理学』ほか訳書多数。

川上純子（かわかみ・じゅんこ）

津田塾大学学芸学部国際関係学科卒業後、出版社勤務を経て、シカゴ大学大学院人文学科修士課程修了。フリーランスで翻訳・編集の仕事に携わる。コリー・オルセン『トールキンの「ホビット」を探して』、アル・ライズ&ジャック・トラウト『ポジショニング戦略』ほか訳書多数。

翻訳協力　岩井木綿子、神月謙一、新田享子、藤村奈緒美、
株式会社トランネット
編集協力　深井彩美子

本書は二〇一九年一〇月に日本経済新聞出版社から刊行された同名書を文庫化したものです。「世界的危機としてのコロナ禍――日本語版文庫に寄せて」は書き下ろしです。

日経ビジネス人文庫

危機《きき》と人類《じんるい》 上《じょう》

2020年10月1日 第1刷発行

著者
ジャレド・ダイアモンド

訳者
小川敏子
おがわ・としこ

川上純子
かわかみ・じゅんこ

発行者
白石 賢

発行
日経BP
日本経済新聞出版本部

発売
日経BPマーケティング
〒105-8308 東京都港区虎ノ門4-3-12

ブックデザイン
間村俊一

本文DTP
アーティザンカンパニー

印刷・製本
中央精版印刷株式会社

Printed in Japan ISBN978-4-532-19989-0